碩学の旅Ⅲ

ギリシアへの旅

建築と美術と文学と

マリオ・プラーツ——著
伊藤博明・金山弘昌・新保淳乃——訳
金山弘昌——責任編集

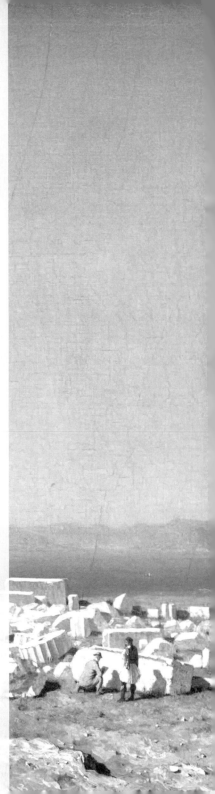

Mario PRAZ, I viaggi dell'erudito III, VIAGGIO IN GRECIA. Architettura, Arte e Letteratura

ありな書房

碩学の旅Ⅲ

ギリシアへの旅——建築と美術と文学と

目　次

プロローグ　マリオ・プラーツのギリシア――一九三一年春　伊藤博明　9
ギリシアへの序曲　伊藤博明　11
ギリシアへの到着　伊藤博明　25
イラクリオンでの下船　伊藤博明　39
クノッソスとファイストス　新保淳乃　53
アテネ　新保淳乃　73

スニオン岬とデルフォイ　新保淳乃　89
アルゴリス地方　金山弘昌　105
オリンピア　金山弘昌　125
イオニア海の上空にて　金山弘昌　143
エピローグ　ギリシアを旅するプラーツのまなざしと悲劇の予感　金山弘昌　157
人名・作品名　索引　i——166

Mario PRAZ

I viaggi dell'erudito III
VIAGGIO IN GRECIA
Architettura, Arte e Letteratura

Transtulerunt Hiroaki ITO
Hiromasa KANAYAMA
Kiyono SHIMBO

Commentavit et Curavit
Hiromasa KANAYAMA

Edidit Akira ISHII

Designavit Hikaru NAKAMOTO

碩学の旅Ⅲ

ギリシアへの旅

——建築と美術と文学と

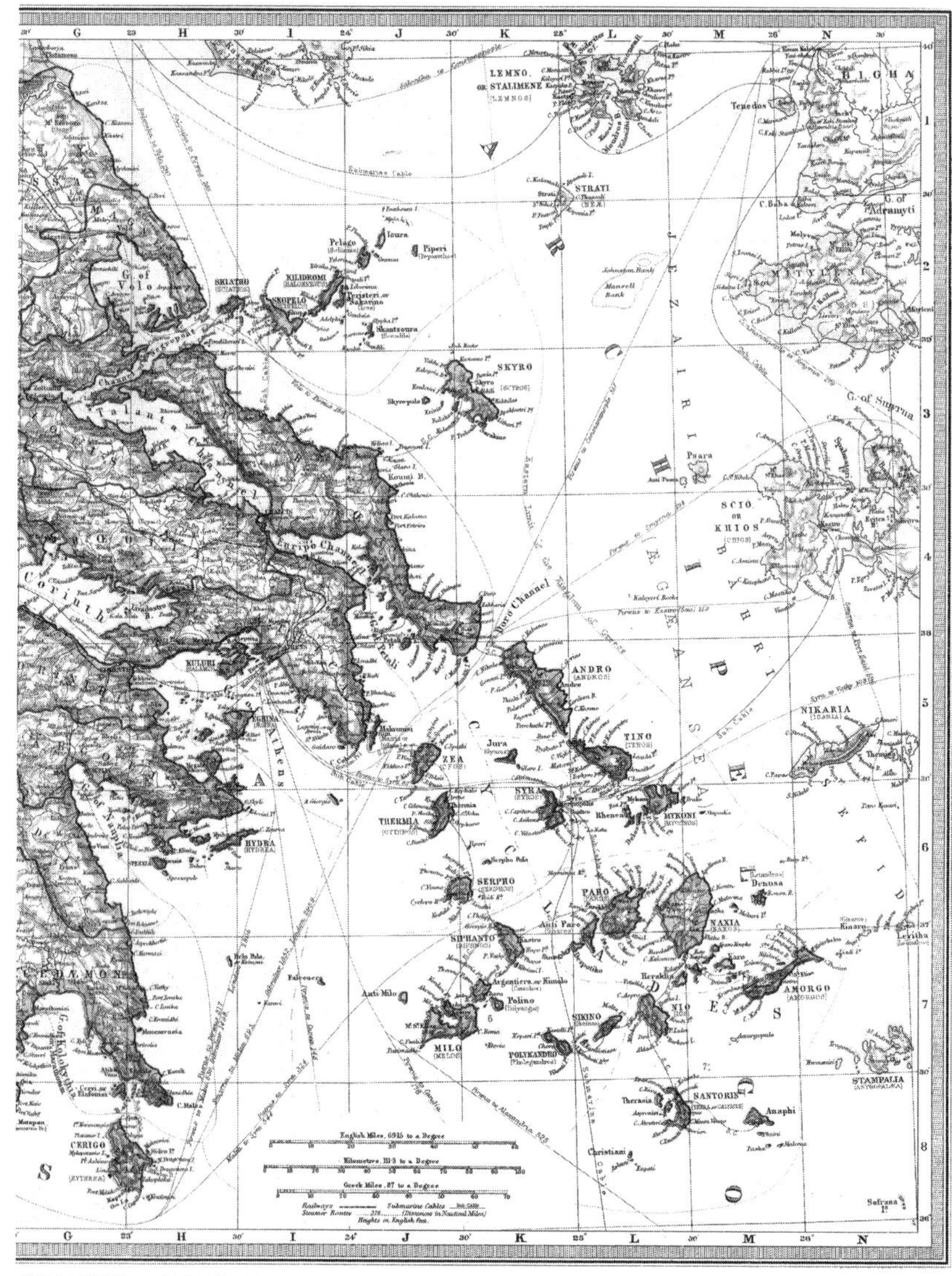

ギリシア地図　一九〇八年　*Harmsworth Atlas and Gazetteer*, London, 1909.

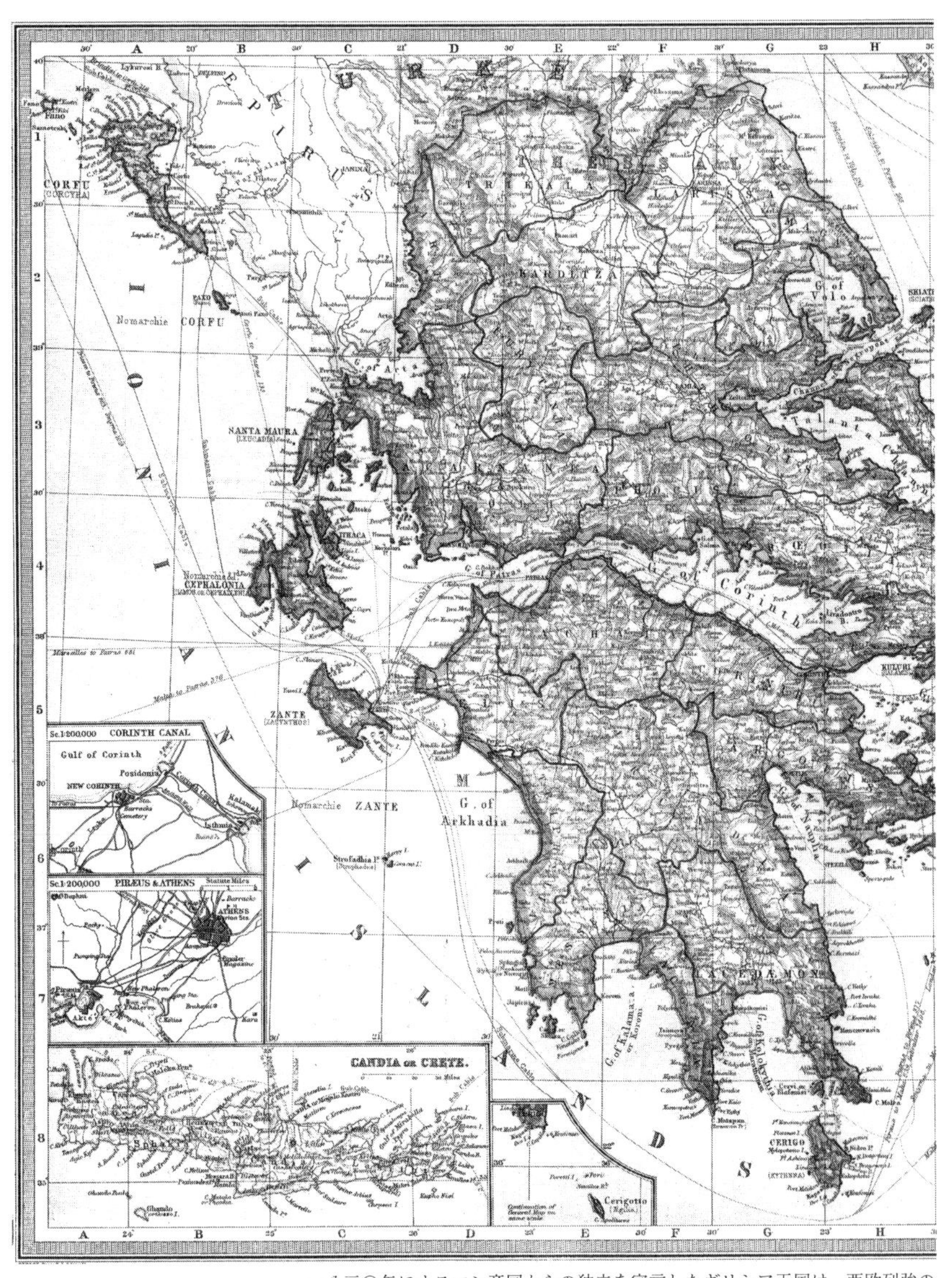

一八三〇年にオスマン帝国からの独立を宣言したギリシア王国は、西欧列強の干渉を受けながらも、「大ギリシア主義」を掲げ、領土を拡大した。一九二二年の希土戦争敗北を受けて二四年共和国に移行し、三〇年にトルコとの国境を確定した直後にプラーツは旅している。この地図には一九世紀の地名が使われ、主な鉄道路線、航路などが記載されており、当時の旅程を確認することができる。

プロローグ　マリオ・プラーツのギリシア――一九三一年春

一九三一年の三月から四月にかけて、プラーツはギリシアを旅行した。イタリア半島南端のレッチェから蒸気船ロイド・トリエスティーノ号に乗ったプラーツは、アドリア海からイオニア海へと南下し、ペロポネソス半島のパトラス湾からコリントス湾を経て、アテネの外港ピレウスで停泊したのち、クレタ島のイラクリオンをめざした。

「ギリシア旅行は、あまり好ましくない季節のことを考えると、かなり上首尾に終わった」と、プラーツは同年四月二五日、フィレンツェの言語学者ブルーノ・ミリオリーニに書き送っている。彼はたいへん精力的にギリシアの重要な遺跡を訪ねた。彼にファイストスとアギア・トリアダは「素晴らしい印象」を与え、デルフォイ（デルフィ）は「真に驚嘆すべき」ところで、アルゴリスは「輝かしかった」。帰途はパトラスから飛行艇に三時間揺られてブリンディジに着いた。彼はこの書簡を「忘れることのできない旅」と結んでいる。

一八二一年に始まったギリシア独立戦争は、ようやく一八三〇年にギリシア王国の成立によって終結した。当初この王国は、一方でオスマン帝国時代からのキリスト教徒としての自覚をギリシア民族としての意識を生みだすために利用しつつ、他方で一八世紀後半からのヨーロッパの親ギリシア主義（フィルヘレニズム）にもとづいた「古代ギリシア」のイメージに対応する国家像を創出しようとした。古代ギリシアの「再生」を印象づける象徴的な出来事が、一八三四年のアテネへの遷都であった。そして古代遺跡の発見と保護に関心が向けられ、廃墟となっていたアクロポリスの調査が開始されるとともに、ギリシア政府はドイツやフランスをはじめとするヨーロッパの国々に発掘許可を与えた。

その結果、多くのヨーロッパ人がギリシアを訪れるようになり、同時代のギリシアの現実を「発見」する。親ギリシア主義(フィルヘレニズム)に浮かれて、自らの歴史的・文化的なルーツを求めてやってきたヨーロッパ人が、そこに見いだしたのは「東洋」であった。プラーツもいくぶんかはこの印象を共有している。彼が最初にパトラスに近づいたとき、「ここではじめて、古代ギリシアについての私の想念は打撃を受けた。というのは、私はかつてギリシア人について読み、あるいは彼らの彫像を眺めることによって、穏やかな丘と、おそらくはここかしこに飾られた山々をもつ、調和のとれた快い海岸線からなる土地という概念を自らのうちに形成していたからである」。

プラーツが訪れた一九三一年のギリシアでは、第一次大戦終了後の政治的な混乱が続いていたが、現実のギリシア人に対する彼の印象は、たとえ「住民たちにたいする、若さゆえの無礼さが見いだされる」（『ギリシアへの旅』一九四三年、序文）とはいえ辛辣である。「私にとって、ギリシアの山々、海、円柱、彫像に覚える愛情にもかかわらず、ヨーロッパのほかのいかなる国においても、これほど人間を惨めなものとして感じることはなかった」。

その一方で、アーサー・エヴァンズら親ギリシア主義(フィルヘレニズム)の末裔である考古学者への視線も厳しい。復元されたクノッソス宮殿について、「門外漢の訪問者であれば残酷にもこう叫ぶかもしれない。『ここはどこですか、ハリウッドですか』。老学者の純真な魂のなかに、彼が自らの周りに創りあげたミノア文明の世界は偽物ではないか、という疑念がなぜ忍びこむのか。なぜなら彼は、赤い背景に巨大な牡牛の頭部を描いたフレスコ壁画をここに復元したからである」。むろん、プラーツが感嘆しつつ筆を費やしたのは、イラクリオン博物館に収められたいくつものオブジェである。

最後に、一カ月にも満たない滞在でギリシアについて書いたことへの非難に対するプラーツの弁明を紹介しておこう。「最初の印象がもっとも真なるものではない、というのはまったくたしかなことではない。われわれはある土地に長いあいだ住み、その土地を見馴れてくると、最後にはすべてを自明なものとして受けいれ、そして、毎日通る道路にそって見える家々のほかには、身の周りの事柄を見なくなるのである」（『ギリシアへの旅』序文）。

（伊藤博明）

ギリシアへの序曲

称讃に値する小説と説得力に欠ける旅行記を著わしたフランス人作家、ジャック・ド・ラクルテルは、彼のギリシア巡礼記に『半神』（*Le Demi-Dieu*, 1930）という標題をつけた。というのは、ある意味において、賢明な連結と思慮深い排除、そして、プロテスタント教育が作家に示唆したほかの慎重な接近方法のおかげで、ラクルテルは「望んでいたこと」（quod erat in votis）を証明することに成功したからである。すなわち、一人の現代ヨーロッパ人にとって、現在のギリシアで、しかもこのような情況下で、自らを半神と感じることが起こりえたのである。

私は率直でありたいので、次のように述べることにしよう。私にとって、ギリシアの山々、海、円柱、彫像に覚える愛情にもかかわらず、ヨーロッパのほかのいかなる国においても、これほど人間を惨めなものとして感じることはなかった、と。ほかの場所では、異国の人びとのあいだで、私はしばしば尊大にも、自らが異なる存在であると、そしてときには、外見的にはあまり変わらないとしても、自らがより文明化された民族に属していると感じてきた。しかし、ギリシアにおいてはこのような皮肉を込めた対位法の可能性はすべて消え去った。すぐに、あらゆるほかの感情が――ひょっとして拙著を読んでくださるギリシア人の方々に不快に思われないことを願うが――なにかより深いものによって打ち負かされた。すなわち、「憐憫」（pietà）である。

古代のギリシアと現代のギリシアについて、それらを識別することは可能である――もしあなたが、ヨットから発掘場に降り立ち、ゴーグルを装備し、遺物へと向かって走り、そして、一方の眼を書物に、他方の眼をそこに記された廃墟に向けつつ、あなたのなかに、古代文化のすべての堆積物を、すなわちヨーロッパ人としてのあなたの意識が培ってきた、多かれ少なかれ漠然としたすべてのイデオロギーを沸きたたせるならば。そして、もしあなたが、たとえば、『生の讃美』（*Laus Vitae*, 1903）におけるダヌンツィオのように、ポケットのなかに『ホメロス風讃歌』、あるいはソポクレスの悲劇の断片を忍ばせておいて、印をつけておいた箇所にいたると、力強いスタッカートのダクテュルス格を朗読するならば。ちなみに、ギリシアへの旅のあとでは、『生の讃美』は壁に投げつけたくなるであろうし、エンリコ・トヴェスの『ギリシアのプリマヴェーラ』（*Una Primavera in Grecia*, 1923）さえも、あなたはここかしこにダヌンツィオ風がうかがわれると感じるであろう。だが、もしダヌンツィオにパトラスで真理のかすかな光をかいま見ることが起こったとしても（「罠に落ちたわが策略と渇望」）、そののち、いつものように彼がその光を、彼のあるロマン主義的な考察によって歪め、エレーナ・ムーティを老いるがままにしたのならば（図1～図5）。

実際には、現代のギリシアを旅するヨーロッパ人にとって、まずはじめに、古典古代の残響と湧きおこる興奮を確実に消し去ってしまうあの現実に、つまり民衆のかくも悲惨な状況に衝撃を受けずにいることは、不可能と言わないまでもきわめてむずかしい。

私はテッサロニキ（サロニカ）を知らないが、私が訪れたギリシアのなかで、二つの場所だけが都市の名に値する。すなわちアテネとパトラス（ギリシア人のように、アテネと別に考えようとするならば、さらにピレウス）である。しかし、それらは払われている努力にもかかわらず、現代の都市ではない。そこには余裕がなく、秩序がなく、清潔さがない。それらはストックホルムではなく、バーリと比較されうる。しかし、バーリは確実に、美しい現代の都市になり始めている。アテネがこの歩みを始めても、いつまでも混乱が積み重ねられるカオス的なものになるであろう。私が知っているいかなる場所も、全体として、これほど調和を欠いているところはない。

現代的。都市。郷士派作家（ストラパエザーニ）たちは嘲笑を浮かべるであろう。速さ、快適さ、清潔さ。それはブルジョワ的理想である。しかし、おそらく、乗りあい列車と昔の良き古物の称讃を歌うことはもはや賢いことではないであろう。そして、できうるならば、愚行から自らを解放するべきときであり、さらには、あまり賢いとは見えないという不安を、自らの心から一掃すべきときである。私の友人の考古学者は私にこう言った。「このようなあなたのギリシアについての印象は、ヨーロッパの旅行者の最初の皮相的な反応です。ギリシアはたしかにあなたの慣習と衝突します。私のように何年も暮らしてみなさい。そして、小事にこだわらないことを学びなさい。それどころか、ギリシア人として生きるやり方に慣れなさい。そうすればほかのやり方には耐えられなくなるでしょう。私は、旅がもたらす物質的な豊かさだけに関心がある、スイスの保養地を訪れるようなありきたりの旅行者でありたくはありません。東洋はわれわれに犠牲を求めます。それは果汁の多い果実を固い皮でくるんでいます」。

最初の瞬間には、尊敬されるべきすべての考古学者と同様に、探検家と使徒の素質をそなえている、このきわめて聡明な友人の言い分を認めたくなった。しかし、おそらく、国々を理解するために、その国のリズムに自らを一致させる必要はないのではなかろうか。次に私は、キルケによって豚に変えられたオデュッセウスの仲間たちの教訓を思いだした。彼らはだれ一人として、象はともかくとして、哲学者であった人間に戻ろうとはしなかったのである。結局のところ、われわれは生のあらゆる条件に適合するのであり、このことが、生のある条件が別の条件よりも良くない――「良い」と「悪い」という言葉が意味をもつとしてであるが――ということを排除しないのである。

私としては、ギリシアから戻ると、もはや「進歩」という軽蔑すべきモットーを笑うことができなくなった。衛生学、飛行艇、美しい街路、サーヴィスの機械的な几帳面さは、つまるところ、地球の財産である。反啓蒙主義(オスキュランティズモ)というフリーメーソンを想い起こさせる言葉は、ギリシアではまったく実質を帯びた事実となる。『エクセルシオル』(*Excelsior*)というバレエ、すなわち、この輝かしい未来と進歩の正真正銘の礼讃は、郷士派作家(ストラパエザーニ)たちの双眼鏡を通すときわめて滑稽なものとして現われた――このバレエを初心者たちにひどい嘲笑を呼び起こさせることを目的とした戯画的冒険とすることはなんと容易なことであろうか――のであるが、私には、真理の真正の啓示として見え始めている。

図1——ウィリアム・パーサー
《アクロポリスとヘロデス・アッティクスの音楽堂のあるアテネの風景》一八二〇年頃　水彩
アテネ、ベナキ美術館

図2——レオ・フォン・クレンツェ《アクロポリスとアレオパゴス台地の理想化された景観》一八四九年 油彩 ミュンヘン バイエルン州立美術館

図3――ルドルフ・ミュラー
《プニュクスからのアクロポリスの眺望》一八六三年頃
アテネ　ベナキ美術館

図4——ローレンス・アルマ=タデマ
《アクロポリスの見える
テラスにいる人物》習作
一八七〇年〜七四年頃
個人蔵

図5——コグヴィナス・リュクルゴス
《アクロポリス》一九一五年
メッィヴォ　アヴェロフ美術館

困窮、マラリア、古着、腫れたあるいは痩せ細った顔、土色の頬と青白い眼窩、疥癬の頭と口ごもる唇、数珠をいつまでも手繰る神経質な手、偽の琥珀のロザリオ、無価値な時を過ごすこと、狡猾さと卑屈さのあいだで視線を向ける濁った眼。貧相な襤褸をまとった女性たちは、広い頬骨の周りに大きなハンカチを巻き、整然となることはけっしてないであろう街路の上で石を割ろうとしている。喜悦もなく美もない、惨めな痩せ衰えた者たち――あなたは一人で、厄災によって荒廃した土地で彼らを見ている。ああ、どうして、これらの貧しい人びとのなかで、自らを半神であると感じることができるのであろうか。

ギリシアは貧しい国であり、私が知っているヨーロッパのどの国でもない、貧しくて荒廃した国である。そして、絶望した国であることを、私は願う。というのは、絶望はまだ、より良い事柄への原動力だからである。ところが、私がギリシア人の多くの顔に発見した卑屈な愚昧さは、この民族の究極の存在表現なのであろう。「しかし、これが東洋なのである」と、わが友人の考古学者は擁護する。ところで、あなたがただ異なるだけで堕落したのではないと主張する、この東洋の声を、数世紀にもわたり一番多くの回数聞いてきた者は、いったい誰だというのであろうか。すべてが無益なのであれば、なぜあなたは神殿と墓ばかり掘るのであろうか。現代の歴史に関心がないとしても、なぜあなたには先史時代の遺跡が重要なのであろうか。

これらイタリアをはじめ、ドイツ、フランス、イギリス、アメリカの考古学者たちは、発掘という高邁な使命をもって、フレスコ画と彫像の断片を、破損した壺を、ブロンズ像を明るみにだしている。もしギリシアに使命が必要ならば、それは第一に、現代に誤って構築されたものをすべて壊し、再構築し立て直すという使命である。もはやだれも通ることのないミノア時代の一本の道を発掘するために資金を浪費する一方で、現在の道々を驟馬に顔をしかめさせる状態に放置しておくことは、最大の皮肉ではないであろうか。あるいは、アーサー・エヴァンズ卿がクノッソスでおこなったように、紀元前二千年の仮定の部屋を復元する一方で、今暮らしているクレタ人には粗雑な荒屋以上の避難所しかないというのは、最大の皮肉ではないであろうか。

図6——フランシス・フリス撮影
アテネ、アクロポリスの丘
一八六〇年
ニューヨーク近代美術館

図7——アレグザンダー・ラモント・ヘンダーソン撮影　アテネ、アクロポリスの丘　一九〇四年
アテネ　ベナキ美術館

図8——アクロポリスの丘から近代アテネを眺める観光客
『ナショナル・ジオグラフィック・マガジン』一九三〇年一〇月号

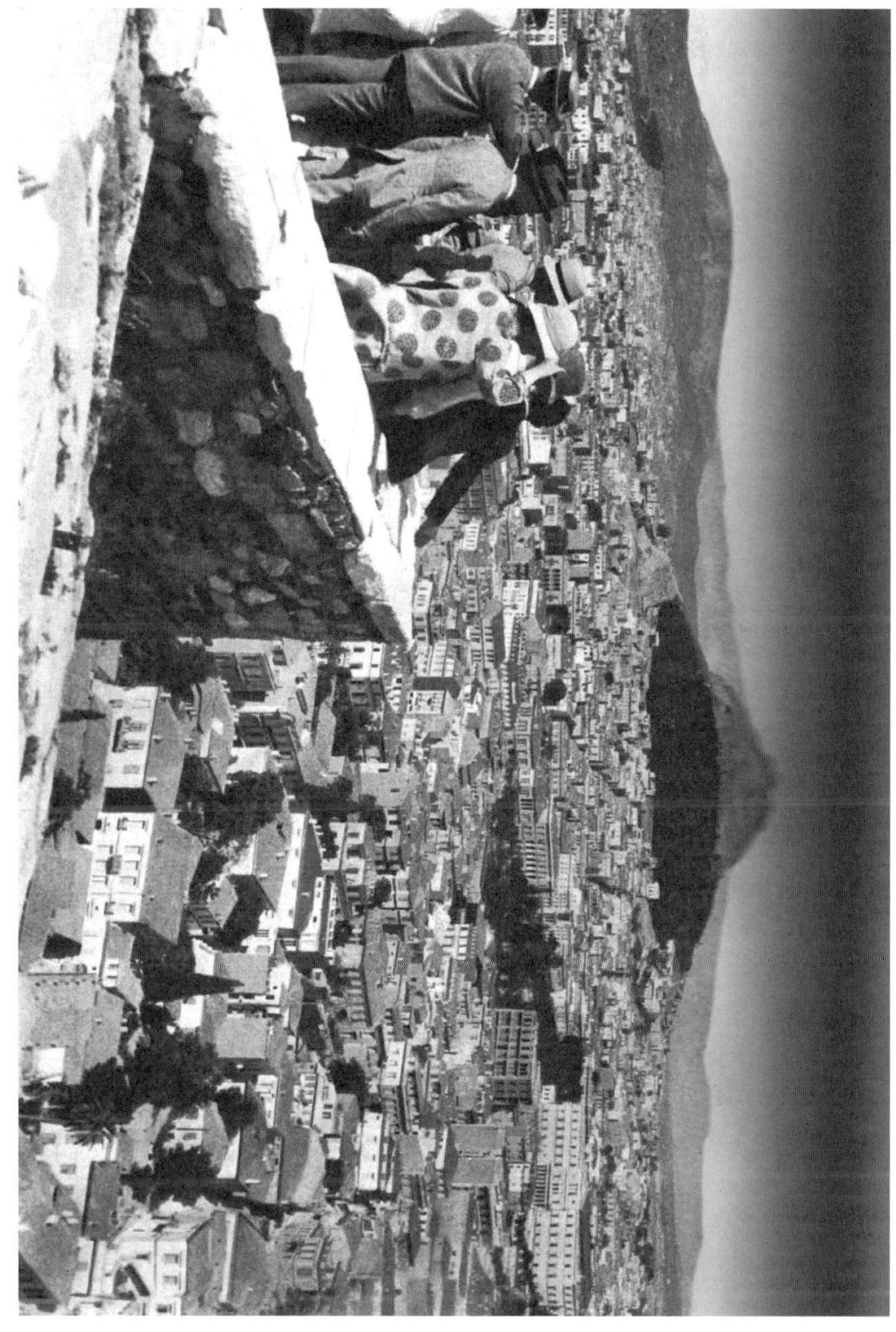

結局、もし私が、多くのギリシアの村落がスイスの村落の外観を有しているのを見るならば、そこになにも不都合なものは見いださないであろう。疑ってはならない、親愛なるロマン主義者諸君。ピクチャレスクなものはなにも破壊されないであろう。というのも、ギリシアのピクチャレスクなものは、すでにはるか以前に消え去ってしまったからである（そして、クレタは同じ道を歩んでいる）。そこに残っているのは、存在することの理由をもたないものの悲哀に満ちた辺獄（リンボ）において、現代的でも古代的でもなく、どこでもない（nowhere）世界の破片、残滓なのである（図6～図8）。

あなたがギリシアの集落に入るたびごとに、あなたには、地上には、新鮮なものも、陽気なものも、有益なものも、存在しえないと思われるであろう。メガラは、遠くからは、高台の白と空色と薔薇色の家々が連なったピクチャレスクなものと映る。しかし、近くからは、窓は汚物で囲まれた空虚な眼窩で、路地はその侘しさによってあなたをはねつけ、人びとは、あなたには文明化されたばかりであると見える。コリントスは、一九二八年の地震が昨夜起こったかのようである。再構築を進めるための資金を欠いていて、人びとは粉々の壁と、ぐらつく小バルコニーと、残骸がつまった掘り跡のあいだで、野営でもしているかのように暮らしている。コリントスは、古代の世紀においては、もっとも心地よい都市であったが、現在においては、おそらくもっとも侘しく、もっとも埃と泥にあふれた都市である。アルゴスはひとつの名称にすぎず、瘤と穴で覆われた道路に沿った荒屋の列である。最後に、企業のまずまずの繁栄が改善させているはずのラウリオン（ラブリオ）のような産業のある地方でさえ、神に見捨てられた場所の言語に絶する光景であなたを悩ますであろう。

聖堂もまた、装飾もされず敬意も払われず荒廃しており、そこで人びとは往来と同じように、入り、出て、うろつき、お喋りし、小さな蠟燭のもとで無為に時を過ごす――善良なトスカーナ人アントニオ・プッチが咎めたような仕方で。

私がうんざりしているのは、聖なる場所で
購入される蠟燭が、至福の聖人たちを

崇めるためよりも喧嘩のためであること。——

そして、聖像（イコン）についての話が流れていき、一方で、蓬髪で脂じみた司祭が、どこかの商店の店主のように、手を揉みながら、あちらこちらと歩き回る。……

ギリシアは私に、きわめて不幸な国という印象を与える。多くのギリシア人が自らの物質的条件について難じるべきものを見いださないのか、それで満足しているのか、私は知らない。もしそうであるならば、私はいっそう彼らを憐れむであろう。それは誰の罪なのであろうか。その責任は、数多く、さまざまな、そして広大なものなので、おそらくは世界の半分を告発する必要があろう。

エルギン卿は一方の手でパルテノン神殿の大理石を採り、他方の手で時計を贈った。ヨーロッパのほかの国々は、「わずかな埋めあわせ」（fiche de consolation）として時計さえ贈らなかった。それが最後の厄災ではなく、さらにトルコとの住民の交換があった。ヨーロッパのギリシア人はふつう君主制支持者であり、小アジアの避難民はヴェニゼロス支持者である。あらゆる地方の境には、これらの避難民のバラックが建っている。海外のギリシア人と国内のギリシア人が愛しあうことはない。

ロンドンにもほかの場所にも富裕なギリシア人は存在しており、彼らは裕福な銀行家か元銀行家で、その半数はイギリス化しており、半数はフランス化している。「女性たちは［パリ二区のショッピング・ストリート］ラ・ペ通り［rue de la Paix］のファッションを身につけ、男性はロンドンで洋服を仕立てさせる。……二種類の事柄が彼らの関心を惹く。フランスの小説とギリシアの美である」。このようにジャック・ド・ラクルテルは述べている。私が聞くところでは、これら立派なギリシア人たちはギリシアの繁栄についても関心をもっており、少なくともギリシア独立の多くの英雄たちを讃えている。この独立をギリシア人は一世紀のあいだたいへん誇りに思っており、三月二五日の祝日には、アテネのすべての街灯が英雄たちの肖像で装飾されるほどである。

そうなのであろう。そして私は、この土地で一〇〇年前から、一〇年前からこれまで、なんらかの進歩がなされたと信じたい――私には、物事がこのように悪化しうるのを想像するのが困難であるように思えるとしても。しかし、エドモン・アボウが前世紀［一九世紀］の中頃に、アテネについて書かざるをえなかったことを読んでみよう。

アテネは二万の人々と二千の家々の都市である。政府の存在がこれらすべての建造物をつくらせ、そして、多くの人びとを同時に集めた。この偶然的な首都は大地に根を下ろしていない。アテネは残りの地方と道路でつながっておらず、自らの産業の生産物を自ら以外のギリシアに送らない。政府に期待するものをなにももたない住民は、希望に満ちた眼をアテネには向けない。この都市は周辺の地区をもっていない。それをとりまく数少ない村落は、都市の存在に気をとめることはない。平野は大部分が耕作されておらず、一部を開墾した農民たちは、オットー王［オソン一世］の到来のまえに、生活の糧を求めていた実に不幸な者たちである。一言でいえば、もし政府がコリントスに移されるならば、二万人の住民はもはやアテネに関わりをもたないであろう。そしてすぐさま、アイーナやナフプリオンと同様に荒廃し、廃墟となるのを見るであろう。

現在、アテネはレヴァント地方の巨大な港であり、人口によっても交通量によっても真の大都市である。したがって、進歩は果たされた。しかし私は知っている。もし私が一人の裕福なギリシア人ならば、自ら粗布をまとい、頭に灰を撒き散らすであろう――きわめて古い名称をもつ国がいまだ、人びとにとっての然るべき本拠地となっていないのであるから。これが第一である。そして次に、考古学的で風景画的な美が、フランスの小説が、そして、ことによると、ラ・ペ通りとボンド・ストリートを飾る衣服がやってくるであろう。

（一九三一年［伊藤博明］）

ギリシアへの到着

一人のトスカーナ人にとって、すでにプーリアの土地は異国風(エキゾチック)な土地である。私はこれまで訪れたことがなかったが、コーヒーを「オフェッレリーア」(offelleria［パンケーキの店］)で飲み、「サーラ・ダ・バルバ」(sala da barba［髭の部屋］)で髭を剃ってもらうことが十分にピクチャレスクな経験にちがいないと思った――これらの用語の使用が、まさにその土地特有のものと請けあうことはできないが。しかし、フェルディナンド・グレゴロヴィウスがレッチェに与えた「バロックのフィレンツェ」という呼称は、フィレンツェを第二の故郷とした者や私のようにバロックの讃嘆者にとって、必ずしもこの都市に親しみを抱かせるものではない。

いずれにせよ、レッチェのバロックは、真正なバロックではない――サシェヴェレル・シットウェルは、『南のバロック芸術』(*Southern Baroque Art*)における諸モニュメントへの自らの巡礼のなかで、プーリアという小都市を主要な行程のひとつとして言及したのではあるが。レッチェの様式は、極端に田舎くさい特徴をもったプラテレスコ様式の装飾が詰めこまれた、遅れてやってきたルネサンスである。スペインを旅した人はだれでも必ず、この種の建築に趣好とモティーフの親近性を発見するであろう。それは、本質的な線を犠牲にして、付属のところに細部にいたるまで注意を集中したので、金銀細工師(プラテレア)の様式、すなわちプラテレスコ様式と呼ばれた。

いわゆるレッチェのバロックは、伝統的な構造を無批判に受け入れ、そして、アーモンドケーキの花綱飾りを想い浮かばせるような、雑多な彫刻をともなった装飾を積みあげるだけに甘んじた。それは、遠くからはある種の印象を与えないでもないが、近づくにつれて、田舎の通俗的な芸術家に典型的な粗雑な仕上げを顕わにする。大聖堂の彫像は「お人形（バンボッチョ）」で、ロザリオの洗礼者ヨハネ聖堂（図1）の祭壇――これらの祭壇はグラナダの修道院の聖具室を想い起こさせる――の小さな天使も、同じ聖堂の扉口の両脇の聖人たち――糸巻き状の円柱のそばの聖セバスティアヌスは滑稽さを隠しえない――も「お人形（バンボッチョ）」で、さらには、天国の「オフェッレリーア」のようなこの平穏な都市のあら

図1――サン・ジョヴァンニ・バッティスタ・デル・ロザリオ聖堂礼拝堂祭壇　一六九一年〜一七二八年　レッチェ

ゆる町かどで乾かされている、大量の制作中の紙の張り子の像も「お人形（パンボッチョ）」である。
　レフカダ島とイタキ島はそこからすぐであった。これらの荒涼とした島には、房状の硬い草によって覆われた厳しい尾根と、太陽が腐蝕させたような、赤茶色の入江が切りこむ白っぽい岩壁があり、それらは、原初に人間の土塊が美術と詩の一吹きによって生を享けた、青色で、塩気を含み、火山のある地中海の真の娘たちである。この海の百合鴎は、黒の斑点がある翼をもち、北方の海の白く緩慢な百合鴎よりも痩せていて、素速いように見える。そしておそらく、百合鴎に真実であることは、人間にもまた真実である。オデュッセウスとサッフォーという気難しくて、オリーブ色の肌の生きものは、この海に属している。一方、パルジファルとイゾルデは私に、大きくて白く、赤茶けた羽毛をもつ北方の百合鴎のことを想像させた。オデュッセウスはけっして聖杯を求めて旅にはでないであろう。そしてサッフォーはけっして魔女にはならないであろう。

　静謐きわまりない真昼に、緩やかな海岸線は、船のかたわらで、ゆっくりとしたリズムのダンスをくりひろげるかのように見えた。近くの島々が胸も露わな輝く裸身を見せて通りすぎてゆき、その背後に、青い衣服をまとい、白い絹雲をいただいた、長い海岸が登場する（図2）。正午には、それらの美しいダンサーたちが、地平線にまで身をかがめ、無頓着と法悦のポーズに身を任せているかのように見えた。これがペロポネソス半島の海岸であった（図3）。

　次いで、パトラスに近づくと、陸地の起伏にとんだ特徴が、ダンスの優美なイメージを打ち消した（図4）。この荒々しく険しい山々は、鉄の島、コルシカのことを考えさせるものであった。そしてここに、もうひとつのギリシアが現われていた。すなわち、山々を積みあげて、天へ昇ろうとする巨人族のギリシア、山々の上からトルコ人たちに岩を転がす山岳党（クレフテス）のギリシア、野蛮なギリシア、石の多い戦場、山々の巣から降りてくる獰猛な禿鷹に委ねられた虐殺。

大地は水に飢え、山々は雪に飢え、
大鷹は小鳥に飢え、トルコ人たちは頭蓋骨に飢えている。

図2———レフカダ島からエキナデス群島とギリシア本島エトリア・アカルナニア海岸の眺め

図3———ペロポネソス半島北西端　カログリアの海岸

図4———パトラスとパナカイコ山地

図5———ナフパクトス（レパント）海峡
リオ要塞（一四九九年）と対岸のアンディリオ要塞を結ぶリオ・アンディリオ大橋（二〇〇四年）

ニッコロ・トンマーゼオが表わした、古色蒼然としてはいるものの、かくも適確なイタリア語の俗謡が、『オデュッセイア』の軽快な舞踊のような六歩格（ヘクサメトロン）にとってかわった。アカルナニア山とアイトリア［エトリア］山は武装した山々で、パトラス湾は穏やかに自らを開き、ケファロニア島とザキントス島に向かって微笑みかけるが、しかし、リオとアンディリオの城塞によって護られたナフパクトス（レパント）海峡で塞がれつつ（図5）、眉を顰める。そして、ここではじめて、古代ギリシアについての私の想念は打撃を受けた。というのは、私はかつてギリシア人たちについて読み、あるいは彼らの彫像を眺めることによって、穏やかな丘と、おそらくはここかしこに飾られた山々をもつ、調和のとれた快い海岸線からなる土地という概念を自らのうちに形成していたからである。それは、次のボードレールの詩句の表現と少し似ている。

　そこでは、すべてが秩序と美、
　豪奢、静謐、享楽でしかない。

私は、風景とモニュメントについて、想像していたものよりも実際ははるかにスケールが小さいことを想定しておくようにと言われていたが、だれも私に、これらの鉄のような威嚇的な山々、これらの現実離れした峡谷、悪路をいかねば到達できないところについては語ってはくれなかった。そしてここで、パトラスを前にして、天空は、私の思惟のリズムを手助けするために、イオニア群島のオリュンポス的アンダンテに対して、ほぼ嵐のようなアレグロを降らしていた。雨のカーテンが北の方からこの町へと進んでいた。そして、一瞬のあいだ、虹が、ヴェネツィアが築いた要塞（フォルテ）と港に浮かぶいくつかの舟のあいだに、鮮やかにきわめて近くで震えていた（図6）。天空の虹の内側では、パトラスの山が雨に覆われていた。

二番目の虹は、きわめて薄く、煙のようであり、はるかに上空で震えていた。二つの虹のあいだで、山裾が要塞とともに、日没の光を浴びて、眼を眩ませるほど強烈に輝いていた。それから、海峡の奥へと、すべてが青灰色に彩られていく。上空では、嵐の雲が薔薇色と灰色の暈のなかに溶けこんでいた。西の方では、暗青色の山々が澄みきった空間となり、白く均整のとれた絹雲が立ちのぼった天空を背景に際立ち、反対側では、太陽がケファロニア島の背後に沈んでいった。眼を眩ますような、ほとんど信じがたい効果のクレシェンドは、光を音へ翻訳したかのように、要塞から発せられた砲声で頂点を迎えた。この日、三月二五日が独立記念日であったので、日没への挨拶として発射されたのである。

シンフォニーを完成するためにはスケルツォが必要であった。ホイッスルの調子がよい音にあわせて、若い探検家のようにも見える、一列に並んだ子どもたちが——蒸気船のデッキからおおよそ判断するならば——防波堤の端まで行進していた（図7）。一方、長くくねった車体を連ねる小さな蒸気機関車が、イギリスの博物館に置かれているものの姉妹のように、船架にそって陽気に行き来していた。これもまた、ギリシアであった。

そして、ピレウス（ピレアス／ペイライエウス）もまたギリシアであった（図8）。そこで私は、クレタ島のイラクリオン（カンディア）に私を連れていってくれるはずの蒸気船が休憩するあいだ、はじめてギリシアの地を踏むために下船した。偶然にも船上で遭遇した、コス島の有能な発掘家である友人ラウリンジヒのおかげで、私は、到着したわれわれの衣服について論じていた一群の荷物運搬人、船頭、自動車運転手について、笑みを浮かべながら考えることができた。ラウリンジヒは、アテネの考古学学校の優秀な若者の一人、リッチの助けを借りながら、当地の貪欲な者たちと衆人環視のもとで激しい口論を続けて、ついに法外な要求を通常の値まで下げさせたのである。

私にとって、ピレウスという名称は、耳が聞こえず、見たところでは精神薄弱の乞食、不明瞭な言葉のあいだで、憐憫をかきたてるための包帯を巻いた腕を動かしていた、見事な褐色の整った顔立ちとガゼルの眼をもつ背の高い少年の姿といつまでも結びつけられるであろう。この少年を私は、侘しい寄港地を歩むたびごとに、さまざまな機会に、

図6———パトラスの城塞と対岸のナフパクティア山地

図7———パトラス港の堤防　一九三〇年　写真絵葉書

図8———ピレウス港とアテネ　一九三〇年

図9———アンドレア・シグロウ大通りからアテネ市街
アクロポリスの丘　リカヴィトスの丘の眺め
一八九〇年代の写真絵葉書

足下に見いだした。それゆえ私は、彼には偏在性を与えられていたのではないかと、そしてついには、彼は人格を帯びた地霊（ゲニウス・ロキ）、すなわち、現代では愚かな乞食に化したピレウスの神霊ではないかと疑っている――ダヌンツィオの『讃歌』において、エレーナ・ムーティが取持女に化したように。

ピレウス、ファレロン（ファリロ）、家屋と荒屋の入り混じった辺獄（リンボ）、ピクチャレスクなどではない市場、山羊のいない泥濘、解体された海水浴場、あたかも大災害のあとのように破壊され、そして仮設された全体像。そして突然、私を乗せた自動車は、それまで転がりつつ進んでいた沖積土の緩い土壌から、アスファルトの立派な直線道路に跳びはね、それが向かう背景には、白い冠を戴く円錐形の山が見えた（図9）。この派手な丘は、最初はあなたの関心を惹くであろうが、あなたがアテネに滞在中はいつも、そのチュートン族の「城塞（ブルク）」の輪郭に苦しまされ続けるであろう。古代の人びとによって名称を与えられていなかったその山は、リカヴィトスである。

どうしてそれは、古代の人びとによって親しいものでなかったのであろうか。おそらく、彼らの眼はピクチャレスクでロマン主義的なものにまだ目覚めておらず、気づいてもいなかったからであろうか。現在では、光景の一部として受け容れられ、それが美しいものであることで一致している。それは、それ自体としては美しいのかもしれない。しかし、その場所はここよりもむしろ、ニュルンベルク、ザルツブルク、あるいはエディンバラにあるべきなのである。というのも、ここは、左手に、あたかも横暴な隣人によって脅されているように見えるアクロポリスのすぐ傍らにあるからである。

もし山々がモニュメントのように人間の手によって建てられたのであれば、そしてもしリカヴィトスが、あるときひとりの奇矯な建築家によってそこに置かれたのであれば、良き趣好をもつ人びととの抗議は天に届いたことであろう。しかし反対に、それは顔の中央に鼻があることが受け容れられているように、受け容れられている。リカヴィトスは、あらゆる闖入者と同じように、きわめて邪悪な性格をもっている。それは外へと身をのりだして、新参の旅行者を惑わし、遠くからアクロポリスと勘違いさせようとする。それはあたかも、姉の婚約者を梟とすりかえようとする妹のようである。

たとえば、善良なドミトリー・メレジコフスキーはこの罠にはまった。「私は双眼鏡を通して、海から突きでているように見える、先端の尖った丘を眺めていた。その頂上にはときおり、曖昧な形態が見えていた。私の隣にいたオーストリア人が言葉を発した。アクロポリスが見える」。これがリカヴィトスであることは確実であろう。そして曖昧な形態とは、パルテノン神殿ではなく、とるに足らないアギオス・ゲオルギオス礼拝堂である（図10）。古代の人びとによって無視されたリカヴィトスは、現代人によって奇妙な復讐を果たしている。もし無花果の葉に価値があるとすれば、それはアテネの古典的な身体のあの部分を覆う巨大な葉であろう。

私のアテネについての第一印象は、イタリア人の学校の若い考古学者たちの心温まる歓待にもかかわらず、好ましいものではなかった。空は曇っており、人びとは陰気であり、地中海のほかの大きな港、たとえばマルセイユにおけるように、無秩序と雑然さがあった。私は、濃青色の空を背景に金色に染められたアクロポリスの上で法悦の数時間を過ごしたあとでさえ、この第一印象にうちかつことに成功しなかった。最初の日、まさにパルテノン神殿に着いたときに雨が降り始めた。それゆえ、私には、鉛色の空を背景に黄褐色の大理石の効果を理解したのち、アテネとピレウスを結びつけるすばらしい電車（現代のアテネで私が発見することのできた唯一の卓越した事物）に乗り、船内に戻ることしか残されていなかった。

しかし私の眼のなかには、ある神像が焼きついていた。すなわち、国立アテネ考古学博物館（図11）の奥の部屋で、力強い支配の身ぶりで両腕を伸ばす「雷電を投げつけるゼウス」の青銅像である（図12）。彫像の四肢は十分な調和のもとに配置され、完全な平衡があらゆる震える筋肉によって表わされている。一瞬のあいだ、別の神のイメージ――両腕を十字架上で伸ばし、しかし罰するよりも苦しんでいるように見える――との対照は不可避である。おそらく、この近似性からひきだすことができる寓意の結論は、キーツの『ヒュペリオン』のものと異なるように響くことはないであろう。この詩人は、アポロンが人間的な苦痛の経験によってより完全な神性に到達すると語っている。とはい

図10———アギオス・ゲオルギオス聖堂　一八七〇年建造　リカヴィトスの丘

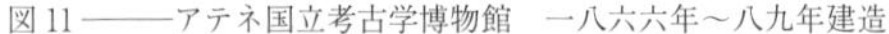

図11———アテネ国立考古学博物館　一八六六年〜八九年建造

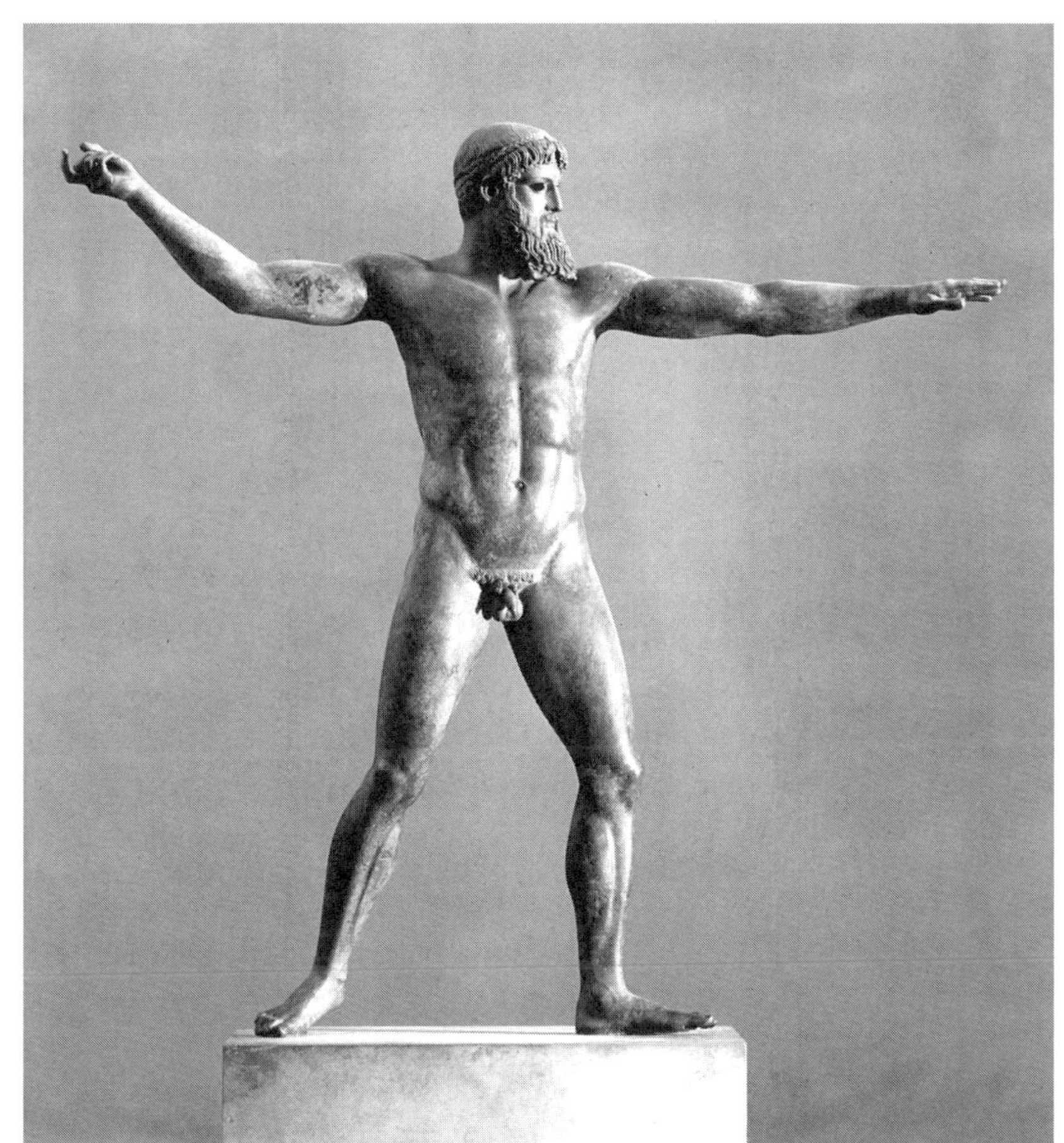

図12――《雷電を投げるゼウス（または矛を掲げるポセイドン）》
紀元前四六〇年頃　青銅
アルテイシオン岬付近発見
アテネ　国立考古学博物館

え、十字架上の神＝人間の美は、美的な考察が大部分を占める推論ののちにでしか把捉することはできない。しかし、「雷電を投げつけるゼウス」の美は、あなたを稲妻のようにとらえる。美と宗教はそのとき、ひとつのものとなった。

この眼の強力なイメージを携えつつ、私はクレタ島へ向かって出発した。

（一九三一年［伊藤博明］）

イラクリオンでの下船

「クレタは葡萄酒の色に染まった海の中央にある土地……」。古代のギリシア人が、私がクレタ島に着いた朝、その海の色に『オデュッセイア』の「葡萄酒色のもの」を認識したかどうか、私にはわからない。なんとしてでも葡萄酒と比較しようとするならば、私にはその海は、少しの善意があれば、菫色の反射を発見することができるような、暗いトルコ・ブルーという色彩のためではなく、むしろ冥府から立ちのぼってくるかのような泡立ちによって、たとえば発泡性赤葡萄酒（ランブルスコ）の色に思えた。船室の小窓は船のすぐそばに迫るむきだしの海岸と、のしかかるように聳える雪積もった荘厳な山々の風景をみごとに縁どっていた（図1）。

葡萄酒色の赤茶けた海岸は、半壊した監視塔以外に、人間の徴を示してはいなかった。大地の動きのない荘重さが、波が立てる音と百合鴎の羽ばたきと対照をなしていた。これが、地中海の島々のなかでもっとも高貴なクレタであり、西洋文明の発祥の地であり、紀元前三四〇〇年から一二〇〇年のあいだ、海と交通を支配下に置いていた民族の本拠地であった。

テラッソクラーティ［海の支配者］――ダヌンツィオ風の香りがする、美しい言葉である。クレタ、コリントス、アテネ、ヴェネツィア、イギリス――テラッソクラーティ。西方から、カンタブリアの山々から、コーンウォールから、ヘラクレスの神話的道を通って錫がやってきた。アドリア海の西側の海岸にそって琥珀が運ばれた。エーゲ海を通ってト

図1——クレタ島北西部の海岸と冠雪した山々

図2——《金属や宝石を捧げるクレタ人》壁画部分の模写
レクミラの墓
ニューヨーク　メトロポリタン美術館

図3——スーダ湾と港　クレタ

図4——イラクリオンの港　一九三〇年　クレタ

ロイアから銀の延べ棒が届いた。そして、エジプトのある墓室の壁画では、クレタ人たちがファラオの前に、鋳塊、角杯、そのほかの捧げものをもたらしている（図2）。

そうこうしているあいだに、イタリア人の船員たちは、スーダの入り江（図3）でわれわれの船に近づいた運搬船に、チェコスロバキア産の砂糖の積荷を降ろしていた。私が想像するに、諸事象は、ミノス王の時代ととくに異なっているはずはないであろう。その時代にも、海が荒れると、船はスーダの入江に避難したであろうし、その時代にも、現行のものよりもはるかに原始的というわけでもない運搬船があったであろう。たしかに、当時には、このようなイギリスの観光客は、とりわけ、神経症の痙攣によってときおり舌をだす、パンチ［鉤鼻で猫背の人形］の顔立ちをもつ老女や、幼児の顔立ちで、少女のような小さな足をもつ太ったハンガリー人を見ることはなかったであろう。そうではなく、当時の怪物はスフィンクスやミノタウロスと呼ばれていたのである。

商業生活は変わり、生産物は変わり、文化は変わるが、しかし、船首に魚の徴をつけていたミノア文明の船の舷側に波を押し寄せていた厭うべき北西風（マエストラーレ）は、われわれのトリエステの商船をも弄んでいた。永遠に変わらぬ事象があり、それらのなかに北西風と海の災難は含まれている。靄が海岸を覆った。冬季の、灰色の大きな波を背にして、われわれは夕刻の八時にはイラクリオン（カンディア）に着いた（図4）。

イラクリオンに滞在したイタリア人で、トリフィッリス氏に感謝する理由をもたない者はいるであろうか。いまだに私には、ローネックの上着をまとい、無帽の頭部をそのままに彼がタラップの先端に現われるのを見ているような気がする。そして、彼の頭を見た私はすぐに、なんとアルディーニョ・ソッフィーチの頭部に一脈通じる気配を感じとった。「おお、ペタソスよ、どこに彼はそれを忘れたのか」と、私は彼に美しいトスカーナ語で尋ねたくなった。というのも、この人物はそのふるまいにおいて、メルクリウスの銀色に輝くものと同じ輝きを発していたからである。彼はフィガロのように貴重であった。ここでトリフィッリス氏、あそこでトリフィッリス氏と、みんなが彼を求めていた。

私は彼の翼のついた踵にひざまずき、そして彼は、すばらしい魂の導き手（プシコポンポ）として、あの暗闇の、雨混じりの夜に、私を黒い水面の彼方へと運び、私をある運転手へと託した。その晩の残りは夢のようであった。寂しい夜の道を走行していき、突然、人形芝居の光景に似た小路で停まった。私は、私が宿泊するはずであった、イタリア考古学派遣団の家の門番を探していた。少し尋ねたのちに、運転手が、少し異国風（エキゾチック）な雰囲気がある、頭巾をかぶった人物を伴って戻ってきた。しかし、なにも恐れることはなかった。彼は、派遣団員のなかでももっとも穏和で、もっとも気遣いをする、最上のザッカリ、あるいはザッカリーアで、私のクレタ島訪問の成功は彼にかかっていた。

彼は、膝に手を当てて丁重に、私に旅が恙ないものであったかと尋ねてから、私を白い壁に囲まれた檸檬の木と糸杉が生えた中庭に、そして続いて、私の部屋があるところへ連れていった。そこはすべてが新しく造営されていた。美しいというわけではないが、新しく、清潔であった。家具は、ドールハウス用の粗削りの家具にふさわしいような、素朴で粗野なもので、彩色された樅材製であった。毛布は縞模様のムーア風で、靴の塵を払うための羽叩きが隅に置かれていた。かのすばらしい男性は、黒いトルコ帽をかぶり、刺繍したシャツ、飾り紐のついた、肩帯のある胴衣をまとい、ブーツを履いており、私には田舎風でしかも神秘的な雰囲気を同時にかもしだすかのように思われた。それは私に、はじめて田舎で私が眠ったときに経験した心の状態に似たものを呼び起こした。

私の部屋は、母屋から独立した、二つの中庭のあいだの建物の一階にあり、母屋のテラスから直接に続いていた。私がほかの人たちが住んでいる、また住む予定である部屋を訪ねたとき、すべてが似たように配置されていることに気づいた。母屋は放棄されていた。このことは考えてみるべきことであった。しかしすぐに、私は十分な理由を見つけたように思えた。クレタ島は地震地帯である。すなわち、一世紀のうちに、揺れや小さな揺れは度外視して、平均して二度の第一級の地震が起こっている。古代のミノア文明のリズムは、紀元前二千年紀の後半から現在にいたるまで、地球の大災害によって惹き起こされていた。そのとき、あらゆる地震の翌日には、壮麗な宮殿を再び建てようと住民たちをかりたてていた堅固な意欲が消失したのではないかと思われる。こうして、エーゲ文明は衰退していった。

島から人が減り、世界の中心は北の方へ移った。そして、クノッソスにかわりミケーネ文明が興った。

この植民都市は「母なる大地」を簒奪占有した。のちにギリシア人となる、北方の蛮族が大地震によって惹き起こされた混乱状態につけこんでこの島に侵入し、その支配体制に決定的な一撃を与えたのであろうか。テセウスの冒険はこれを示唆しているのであろうか。住民たちはシチリアに移住したのであろうか――ミノス王によって追われたダイダロスがそこに逃れ、その地に彼の墓が見いだされるという伝説が語っているかのように。牡牛という、ミノア文明の宗教と密接に結びついている動物に、おそらくクレタ人は地震の目に見えない力の具現化を見たのであろうか――日本人が地震を深海の怪魚の身震えのせいであると想像したように。

続いて、私はしばらくのあいだ、古代の闇に眼を凝らしながら、想像をめぐらしてみた。しかしそのあいだに、日本との類似が私を惹きつけた。というのは、ミノア文明のいくつかの表象を眼の前にして、しばしば日本の芸術について考えさせられたからである。私は翌朝の、博物館について想像をめぐらせていた。

イラクリオンの博物館は、はじめて足を踏み入れた者に対して、とてもありえない光景を提供する。私が信じるには、この驚愕の主たる理由は以下のことである。芸術的表現が堅固で静的な秩序に従っている二つの文明、すなわちエジプト文明とギリシア文明をつなぐ環として、ミノア文明はわれわれに、印象主義とさえ言いうるまでの、際立って動的な芸術を呈示している。花崗岩の芸術と大理石の芸術のあいだで、そこには、きわめて繊細な石膏と、とりわけ装飾的なフレスコ画のなかに表現手段を見いだす芸術が存在している。

これらのフレスコ画の色彩は、当時のままに保たれ、また忍耐強い考古学者によって丁寧に補われ、しばしばいまだにきわめて新鮮である。しかし、より驚くべきことは、とくに自然の表現における彼らの技術である。たしかに、奇妙な形の西洋蔦のあいだで雉を狙っている野生の猫（図5）、グロテスクな岩と蔓のある植物のあいだで慎重に進む青い猿（図6）、ローズヒップ（犬薔薇）、彼岸花、烏野豌豆（からすのえんどう）のあいだでごつごつした岩に止まった懸巣（かけす）（図7）、夜と昼の光景を背景に輪郭を描かれたヨーロッパ山鶉（やまうずら）と戴勝（やつがしら）などは、エジプト芸術に類似している。

図5——《雉を狙う猫》 紀元前一五五〇年頃 フレスコ壁画
アギア・トリアダ遺跡出土
イラクリオン 考古学博物館

図6——《自然風景の中の青い猿と鳥》（復元的修復）
紀元前一五八〇年頃～一五三〇年頃
クノッソス「フレスコの家」壁画
イラクリオン 考古学博物館

図7——《岩に止まる青い鳥》（復元的修復）
紀元前一六〇〇年～一五〇〇年頃
クノッソス「フレスコの家」壁画
イラクリオン 考古学博物館

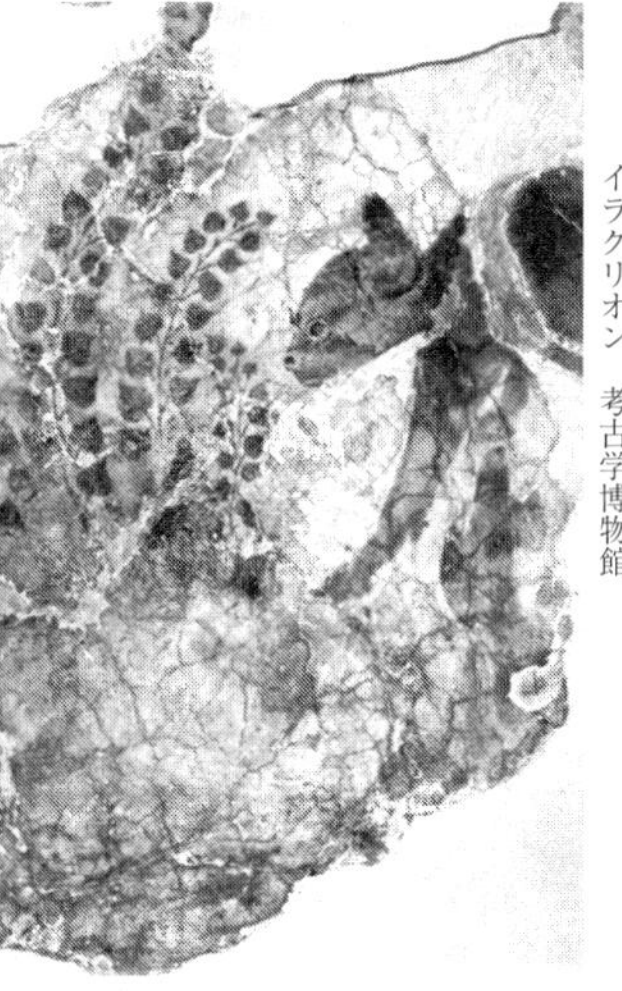

図8——《蛸の壺》紀元前一五〇〇年頃
クレタ島パライカストロ遺跡出土
イラクリオン　考古学博物館

図9——《海豚と魚》（復元的修復）
紀元前一六〇〇年～一四五〇年
クノッソス宮殿　王妃のメガロン出土
イラクリオン　考古学博物館

図10——《スフィンクスの装身具断片》
紀元前一八〇〇年～一六〇〇年頃
クレタ島　マリア遺跡出土
イラクリオン　考古学博物館

続いて想い起こすのは、多様な層を示すために、貴重な瑪瑙のように切りとられた装飾的な岩石、蛸（図8）、鸚鵡貝、飛魚、青い海豚のような奇妙な海の生物（図9）、六枚の花弁をもつ野薔薇、パピルスの花々まで伸びるアイリス、これまで見たことのない薔薇色のクロッカス、異常な色合いの菫のような奇妙な花々、ライオンの脚をもつ智天使（ケルビム）と化したスフィンクス（図10）、そして変身に変身を重ねる、翼をもつ牛頭模様（ブラクラニウム）、猪の牙、あるいは鹿の角状に別れた蝶の羽根をもつ牡牛、乳房をもつ牡鹿、グロテスクな小鬼となって蘇る両刃の斧のような、彫刻された宝石のなかの夢の奇怪な被造物である。

これら形態の汲み尽くせない流出はすべて、われわれにゴシックの装飾画家のさらに興味深い奇矯な文様のことを、そしてまた、日本の画家たちの洗練された様式化のことを思わせる。エジプトの慣習にしたがって、男性も女性も、ここでは赤く、あそこでは黄色がかっているが、いかにもその輪郭はスマートで、その動作はいかにもおちつきがなく、まさしく狂乱にうちにあるように思われる。ある日、彼らのなかの一人が翼を得て、最初の飛行記録を打ちたててもなんの不思議もない。しかしここでは、ダイダロスとイカロスよりも、むしろ「日出づる国（ソル・レヴァンテ）」［日本］の掛軸（kakemono）に生気を吹きこんだ、悪魔にとり憑かれたかのような子どもたち、昆虫の四肢をもつ曲芸師たち、アラベスク模様のような男たちや花々のような女たちのことが想いおこされる。

図11——《祭礼行列》（想像的復元）紀元前一四五〇年頃～一四〇〇年頃　クノッソス宮殿「行列の廊下」フレスコ壁画　イラクリオン　考古学博物館

これらのフレスコ画の男たちは羽根の生えた蟻のように見え、女たちは細いウェストに膨れあがった華麗なスカートを履いた雀蜂のように見える。性別は衣服によってたくみに強調されている。すなわち、男たちは短い腰布を身につけ、生殖器を収める覆いが際立っている。女たちのまとう衣服は、下部が重々しくふくらんでいるが、胸はむきだしのままで、腕の部分だけを、前世紀［一九世紀］末の流行を想いおこさせる、人目を惹く膨らんだ袖で覆っている（図11）。

一方、このような成人たちのかたわらに、快活な少女たちが存在し、彼女たちは牡牛の競争に参加している。彼女たちは男たちと同じような格好をしており、すなわち、腰の周りにはわずかの布地を、言うまでもなく不可欠な覆いとして身につけているだけである。われわれには、少年たちと少女たちがアメリカ西部地方（ワイルド・ウェスト）のカウボーイ（Cawboys）に似ているように見える。というのは、彼らは獰猛な牡牛の角をつかまえ、危険なトランポリンのように、その動物の背に跳び乗り、そこから必死で跳躍し、地面に両脚で着こうとしているからである（図12・図13）。だれか闘牛の愛好家（アフィスィオナド）に尋ねてみるがいい。この見事な演技はまちがいなく不可能であるという回答を聞くことであろう。

このことは、［闘牛の繁殖で有名なスペインの］ミウラ牧場で育った牛であろうとなかろうと、あらゆる種の牡牛について不可能であり、そして、憤怒の波のように背を湾曲させ、それ自身が昆虫であるかのように優雅で、しかも禍々しく、致命的な一撃を加えようとして跳びあがる牡鹿のような、これらクレタの牡牛についてもありうるはずがないことである。「ありうるはずがない」――この博物館を見学しながら、常に唇にのぼった言葉である。しかしながら、われわれはおそらく、適度に緩やか（アンダンテ）な時間で考えているが、かの人びとは、より速（アレグレット）い時間で想像していたし、おそらく生きていた。彼らはわれわれとは異なるリズムをもっていた。そしてたしかに、もし彼らが牡牛の上で大跳躍をすることができたならば、フレスコ画の飛魚のように飛ぶこともできたであろう。

このように彼らは遠い存在である。しかし奇妙なことに、ときおり、われわれに近い存在でもある。たとえば、孔雀の羽根の束を先端につけた百合のみごとな冠をかぶり、赤い背景のアイリスの野を歩く美少年（図14・図15）は、

図 12———《牛飛びをする男女》
（復元的修復）
紀元前一四五〇年頃
クノッソス宮殿　フレスコ壁画
イラクリオン　考古学博物館

図 13———《牛飛びをする男女》部分
紀元前一四五〇年頃
クノッソス宮殿　フレスコ壁画
イラクリオン　考古学博物館

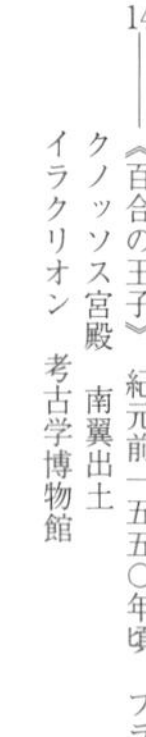

図14——《百合の王子》紀元前一五五〇年頃　プラスター浅浮彫壁画断片
クノッソス宮殿　南翼出土
イラクリオン　考古学博物館

図15——《百合の王子》（想像的復元図）二〇世紀初頭
イラクリオン　考古学博物館

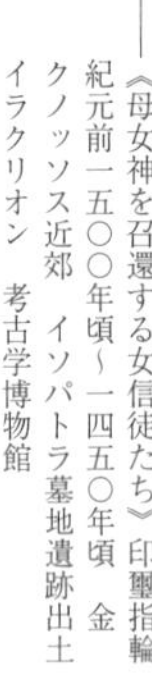

図16——《母女神を召還する女信徒たち》印璽指輪
紀元前一五〇〇年頃〜一四五〇年頃　金
クノッソス近郊　イソパトラ墓地遺跡出土
イラクリオン　考古学博物館

デカダンス極まるジャン・ロランの『ナクルとカレスの王子たち』（*Princes de Nacre et de Caresse*）の表紙を飾るために準備されたかのように思える。アーサー・エヴァンズ卿は、この――彼によれば――グリフォンを綱で導いている「百合の王子」に、まさにクレタ人たちの「祭司＝王」、「法王＝王」（ともに彼の言葉）、すなわちミノスを見ようとした。ここに世紀末（ファン・ド・シェークル）の美しい少年がいる。そしてダンテでは、「ミノスがここに恐怖を叫ぶ姿で待ち、歯を剝き唸る」と。ありうるはずがない。しかし、その責任は、今度は、アテネの民族主義者たちに求められる。彼らは海の支配者たる王の心地よい宮殿を、冥府の陰鬱な洞窟へと変えてしまったのであり、それは、キリスト教徒たちが自らを迫害した皇帝たちすべてを怪物につくりあげたのとほとんど同じである。

結局のところ、驚異に満ちたミノア文明のすべてを解読するためには、彼らが一人の法王＝王を、その中心に「悲しみの聖母」として存在していた女神をともなった宗教をもっていたことを知らなければならない（図16）。王の側近――息子かどうか、妻かどうかは問わない――が死ぬと、王によって哀悼され葬られる（クレタ島の少女たちがかくも躍動的だったのは、母系社会の強い痕跡を保持していたからである）。彼らは、両刃の斧を、またさらに十字架の形を模した星辰全体をあつく崇拝し、ロレートの「聖なる家（サンタ・カーザ）」や「布教聖省（プロパガンダ・フィーデ）」のような宗教建築を建て、一種の「マギの礼拝」をともなったプレゼピオ［キリスト降誕を表わした飾り］を置き、今世紀のフランス人［フォーヴィスム］のように極彩色を使っていた。

彼らは、グレアム家やマカルピン家などスコットランドの氏族（クラン）のように、タータン・チェック、すなわち格子柄の織物を使用していた。彼らはおそらく、最初の飛行家でもあった。そしてまちがいなく、三階建てで、イギリス人を羨む必要がまったくないほど完全に外界と隔絶された家屋を所有していた。彼らはさらに、ドレスデンやセーブルの製陶所のような、マジョルカ焼きの王立工場を所有しており、女たちの衣裳は、男たちの衣裳が人祖アダムの時代のものに似ているのに対して、一八六〇年のものに似ていた。

まったくもって、驚きの冷汗を禁じえない。これらはすべて本当なのであろうか。私は重要なことをつけくわえるのを忘れていた。これらの美しい事象の多くは、アーサー・エヴァンズ卿によるミノア文明についてのもっとも重要な著作において、古代のクレタ人たちに帰されたものなのである。さて、たしかに、エヴァンズは失われた文明の遺物にふたたび光をあてるためにきわめて多くのことをおこなった。しかし、おそらく彼はほんのわずかなことしかできなかったのではないか。これが、冷静な心をもって、クノッソスの遺跡を訪ねた者がだれでも抱く不安に満ちた疑念なのである。

（一九三一年［伊藤博明訳］）

クノッソスとファイストス

クノッソス宮殿は、海から数マイル内陸に入ったイラクリオン（カンディア）の南に建っていた（図1）。クレタ島の九〇もの都市のなかでもっとも栄えていた。王にして祭司長の周りにまるで蜜蜂のように人びとがひしめきあい、王宮そのものが巨大な蜂の巣のようであった。人間に劣らず大量の樹木が都市の周りを密にとりかこんでいた。糸杉の林がどの丘の上にも広がっていた。糸杉は建物の梁や船となり、薪となり灰となった。樹木と同じく、人間も幾世代を経るうちに徐々に減少し、彼らもまた灰燼に帰した。

アーサー・エヴァンズ卿（一八五一年〜一九四一年［図2］）は廃墟のまわりの荒れ地に数多くの糸杉を植林している。彼は正しいことをした。彼は古（いにしえ）のミノス王の宮殿遺跡から出土したたくさんの円柱を修復した。これはあまりよいことではなかったと私は思う。イラクリオン方面からクノッソス宮殿に到着すると、廃墟のスペクタクルは荘厳とはほど遠いものに映る。はじめは主要道路の脇の土地が沈下したように見えたところに、このうえなく混成的な廃墟の全貌が見えてくる（図3）。

こちらの円柱は古く崇敬に値すると思えば、あちらの円柱は真新しく見える。こちらの石のブロックはたしかに古代のものであるが、あそこの円柱はリポリン社製の赤いエナメル塗料を塗り、喫茶店「黒獅子（リオン・ノワール）」で売っている砂糖がけドーナツを載せたとも言えるし、この小さな家が喚起する詩情はイタリアの鉄道駅の公衆トイレ以上のものでは

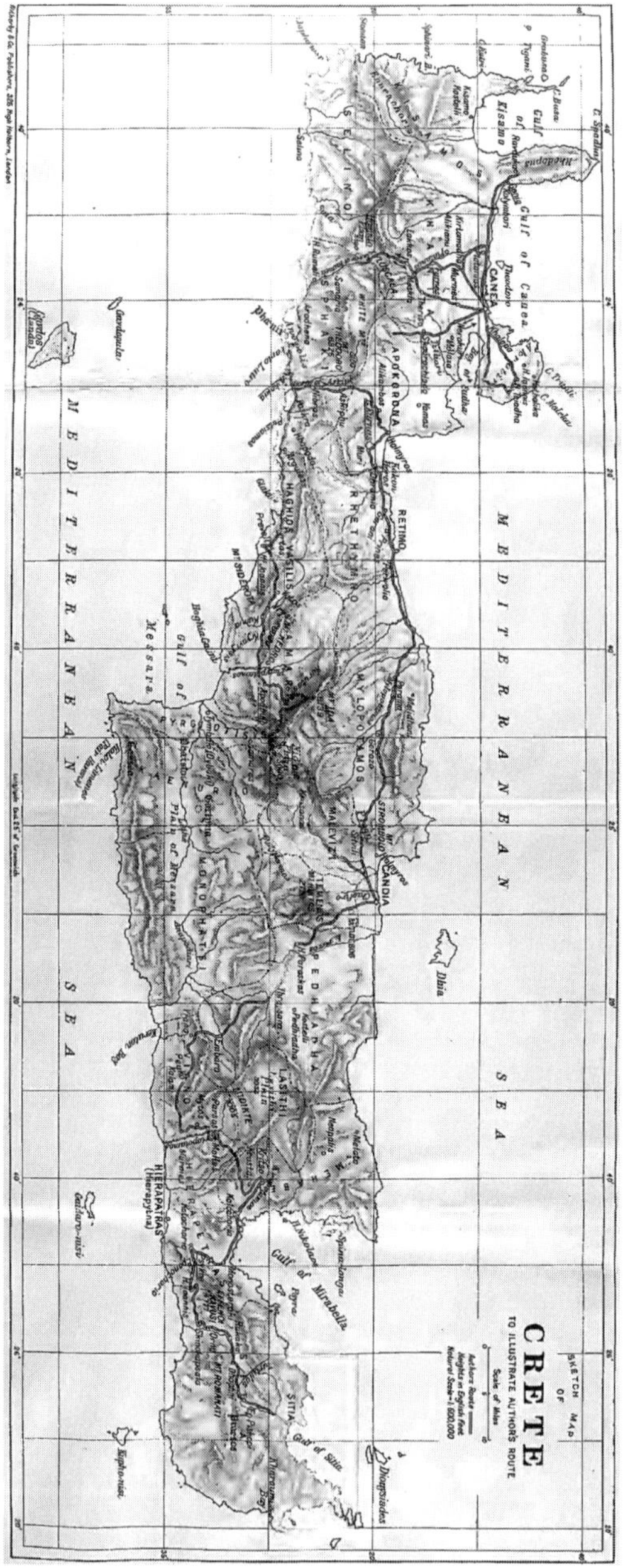

図1——オーヴィン・トレヴァー・バッティ『クレタ島地図』一九一三年

図2——発掘中のアーサー・エヴァンズ卿　セオドア・ファイフ　ダンカン・マッケンジー　一九〇〇年〜〇一年頃　クレタ

図3——クノッソス宮殿　鳥瞰　クレタ

図4———クノッソス宮殿　修復中の大階段　一九〇五年頃　クレタ

図5———クノッソス宮殿　デ・ヨングにより復元された前門と「奉献の角」　クレタ

図6———クノッソス宮殿　海の門（南門）のポルティコ　クレタ

図7———クノッソス宮殿　海の門のポルティコに描かれた突進する牡牛（復元）　クレタ
W・H・カフィン
図8———《ボヴリル社牛肉エキス広告ポスター》一九〇五年頃
ロンドン　ヴィクトリア&アルバート美術館

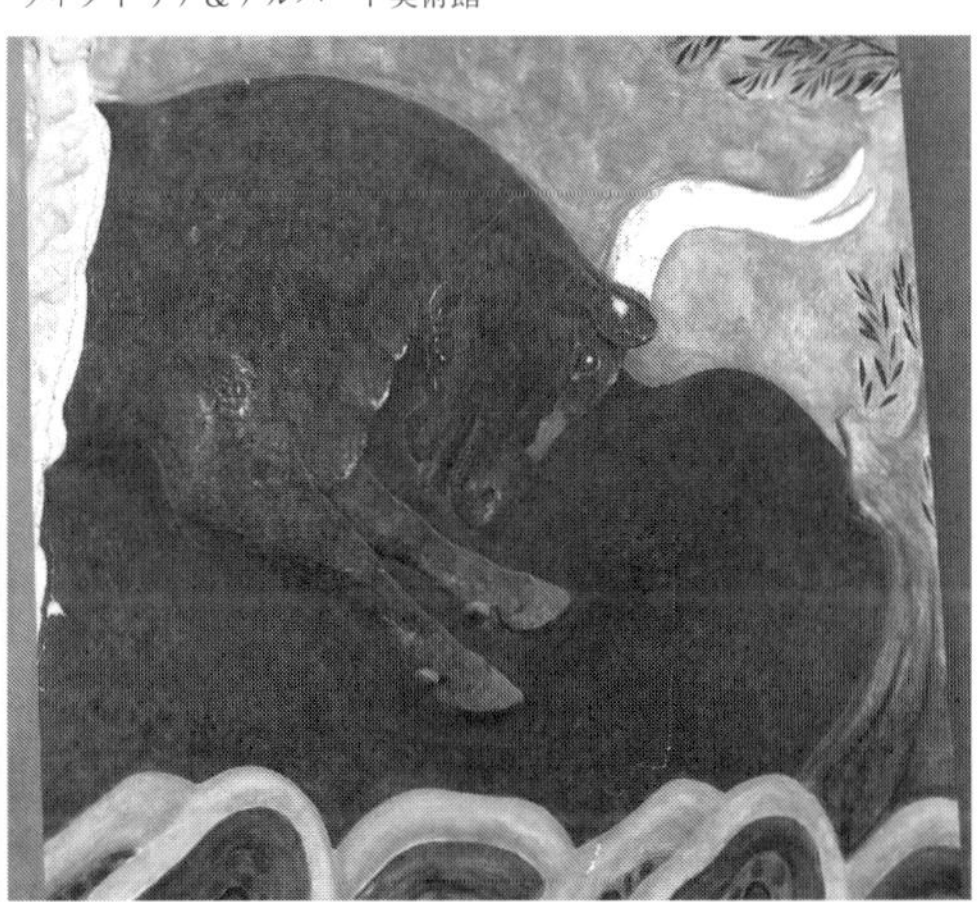

ないと言えるのではないか。一部の壁は白く滑らかで、鉄筋コンクリートと言ってもよいくらいである。なんともはや、本当に鉄筋コンクリートではないか。そう、鉄筋コンクリートだけが地震に耐えられる。要するに、発掘作業を、むだにしないためなのである。

模範的な発掘はアーサー卿によるものであると言わねばならない。たとえば、膨大な段からなる階段の発掘は見事である（図4）。構造の強化や欠損部の補完により近代的な建設素材を活用する必要があった。すべての考古学者は、口うるさい小悪魔にとり憑かれているように思う。心をくすぐり騙す、このいたずらな妖精が彼らに囁く。「見てごらん。おまえはとても優秀で、この古い石ころを再び光のもとに戻した。しかし今度は、それをひとつにまとめねばならない」。そして考古学者が石材を堅固に組みなおしたとき、「ここには確実に別の石があったはずだと思うよ。こうして、こうして」。考古学者は躊躇する。スパルタ人のように冷酷な心の持ち主であれば、小妖精が天狗になるまえにすぐさま絞め殺したことであろう。しかし感傷に流されやすい一部の考古学者は、妖精の言葉に屈した。彼らはまず本物ではない礎石を置き、石の次に円柱を、円柱の次にロッジャを建て、さらに色彩を蘇らせ、フレスコ壁画の痕跡に色を塗り完成させ……そしてほら、見回せば彼らの夢が現実になっているではないか。空想の目の前ではなく、真に両の目の前に古代の宮殿が、そのベンチ、列柱廊、高い窓とともに蘇っている（図5）。

門外漢の訪問者であれば残酷にもこう叫ぶかもしれない。「ここはどこですか。ハリウッドですか」。老学者の純真な魂のなかに、彼が自らの周りに創りあげたミノア文明の世界は偽物ではないか、という疑念がなぜ忍びこむのか。なぜなら彼は、赤い背景に巨大な牡牛の頭部を描いたフレスコ壁画をここに復元したからである。時代の異なる廃墟から拾い出したプラスター装飾のわずかな断片が、考古学者の空想力に際限のない空間を与える。宮殿が破壊されたあとも長らく「海の門」を飾っていたあの牡牛の頭部は、ギリシア人たちに強烈な印象を与えることとなった（図6・図7）。彼らはそれを古代の牛追い祭祀の記憶や廃墟の錯綜した様子と結びつけ、ラビュリントス（迷宮）とミノタウロスの物語を創りだすこととなった。それゆえに牡牛の頭部があるのである。なんということか。私はテセウスの伝説に胸を熱くすることはなく、むしろ、イギリスの都市にあふれるボヴリル社の広告ポスター（図8）を思い浮かべた。

王妃のメガロンに海豚のフレスコ壁画がある（図9）。アーサー卿はそれを「残存する廃墟の活発な拡充」と呼んだ。私には、子供部屋を飾るのにふさわしい絵画に見え、あのターコイズ色は、青緑色をだすために、レキット社製のウルトラマリン・ブルー絵具を使うよう勧められたのであろう。本物のフレスコ壁画の色彩は得も言われぬものであったはずであるが、この近代的な色彩はポスターにふさわしく、赤色は吸取紙、黄色は蠅取紙のようで、背筋がぞっとした。

こちらは「両刃の斧の間」である（図10・図11）。その壁には、八の字形をして牡牛の革で覆われた巨大な斧が架けられていたはずである。アーサー卿はこれらの楯、亜鉛メッキされた巨大な恐ろしい武具をいくつか復元させた。それだけではない。四巻本になる著書に、この王の間に座すミノス王（エジプト王がファラオと呼ばれるように、彼はミノスをクレタ王の通称と推測した）の図像を載せようと望んだのである（図12）。

季節は冬で、広間には火鉢が燃えている。火鉢の前に一人の男が座り、手を暖めている。アーサー卿の挿図はそのようなものであり、彼の記述そのままであった。ところが男は裸なのである。たしかに、アーサー卿は細かな注意を払っている。「外気が流れこまないように扉と窓は閉じられているようである」。これが原文どおりの言葉である。しかし、アーサー卿は彼に外套を着せることもできたはずであった。図像学的には外套を着たクレタ戦士の図像は残っていないためこれでよいが、なんと、あの優れた古代人たちが真冬に裸のままでいるほど間抜けなはずがないではないか。アーサー卿が火鉢の燃える部屋にいるミノス王を裸にしたのなら、彼は扉と窓を閉じて、この不憫な男が手しか暖められないよう望んだということなのか。私は誓って言うが、彼は全身で火鉢を抱きしめたにちがいない。

アーサー卿は発掘中に巻き毛のような青銅の破片を見つけた。彼は検討し、こう考えた。高さ二・八〇メートルの母神の木像が、ポルティコの下の信徒たちを見下ろす。暗闇のなかで水晶玉の両眼が光り輝き、鍍金された青銅の三つ編みが謎めいたきらめきを放つ。聖なるヴィジョン。すべてが『サランボー』の著者にぴったりであろう。けれど

図9―――クノッソス宮殿　王妃のメガロン　ピート・デ・ヨングによる復元（一九二二年〜五二年）　クレタ

図10―――クノッソス宮殿　両刃の斧の間（王のメガロン）外観　クレタ

図11——クノッソス宮殿　両刃の斧の間（王のメガロン）内部　クレタ

図12——《両刃の斧の間の内部復元図》 A・エヴァンズ『クノッソスのミノスの宮殿』第二巻　一九二一年　挿図

も優れた男よ、おまえは手になにをもっているのか。巻き毛の形をした青銅の破片、それだけである。

アーサー卿が復元し機知にとんだ拡大解釈をしているかぎり、悪は相対的である。誰もがなんのことかわかっている。これは空想による大胆な再創造＝気晴らしなのである。やっかいなのは、専門家の世界に古物の製造業者がいることであり、彼らが発明したミノア文明の事物が本物として流通されようとしていたことである。私は専門家ではないが、母神の象牙小像と対になった祈る息子の小像を見ても本物とは思わない。母神の像は現在ボストンにあり、謎に包まれた状況下で購入された（図13）。息子の像は、同じく疑わしい状況でパリの古物商に買いとられた。

アーサー・エヴァンズ卿は顔貌表現の現代性を指摘しており、誓ってもいいが私には女神の頭部が「アメリカン・ガール」の肖像に見える。この二体は同じ高さで、アーサー卿は本来向かいあっていたと考えた。女神とそれに従う神性の関係のすばらしい表現ととらえた。やれやれ。仮説のための仮説に、ある呪われた考えが浮かんだ。二体の象牙像は、かつて、中世の装飾用人形職人が造った「受胎告知」群像の近代ドイツにおける模造であったのではないか。あるいは、贋造者は、小細工を駆使して、ミノア美術の傑作に仕上げたのではないか。若者の像はとくに背面が傷んでおり、そこは受胎告知をする天使の翼が生えていたのかもしれない。私がまちがっているかもしれないが、まさにここには、古いものと混成した新しいものを見続けたあげくに、俗人の心に猜疑心が忍びこんだ例がある。

確実にアーサー卿の復元事業に役に立ったことがひとつある。ミノア美術の大衆化である。いまや、ヨーロッパを周遊するアメリカ人の一行で、短時間でもクノッソスを訪問したいと望まない者はいない。アーサー卿はこの種の人気を望んだのであろうか。私には、合理的理由からだけではなく、クレタ島南部の、ファイストスにある別の宮殿の廃墟のほうが好みである（図14）。ファイストスの発掘はわがイタリア人考古学者のフェデリコ・ハルベアーとルイジ・ペルニエの功績である。彼らは適切で誠実な仕事をし、空想力を優先させることはなかった。ここではすべてが、あるいはほぼすべてが、来訪者の想像力により補完されねばならない。また、かの非常に古い文明と触れあう奇跡は、執拗な刺激に囲まれるクノッソスでは生まれないが、ここではそれが起き、人気のない花咲く丘、山々の威容、穏や

図13——《蛇女神の小像》紀元前一六〇〇年～一五〇〇年または二〇世紀初頭　象牙
ボストン　ボストン美術館（一九一四年購入）

図14——ファイストス宮殿とメサラ平野　クレタ

図15———ファイストゥス宮殿から望むメサラ平野とイダ連山　クレタ

図16———アギア・トリアダの「王の別荘」遺跡　紀元前一五五〇年頃〜一五〇〇年頃　クレタ

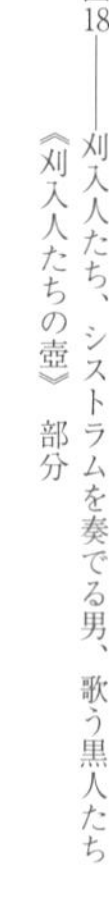
図17——《刈入人たちの壺》
紀元前一五五〇年頃〜一五〇〇年頃　黒凍石　アギア・トリアダ遺跡出土
クレタ　イラクリオン考古学博物館

図18——刈入人たち、シストラムを奏でる男、歌う黒人たち
《刈入人たちの壺》部分

かな谷間のほうが確実に刺激的である。

ファイストスにはクノッソスより大きな利点が明らかに二つある。なによりもすばらしい立地のため、たとえ貴重な廃墟がなかったとしても、この場所は巡礼地になったことであろう。次に、紀元前一五七〇年頃に大地震が起きてクノッソスを破壊したが、この地域ではほとんど影響がなかった。そのため、ミノア文明中期の末に建てられた壮麗な建築物がそのまま残されたのである。

ファイストス宮殿の倉庫が並ぶ廊下から見えるメサラ平野の眺望は、ヘレニズム世界の、そしてあえて言うが地中海の名だたる景観と並べても遜色がない。地平線を閉じる穏やかな紺碧の山々の稜線は、アルバーニ山地の輪郭に劣らず調和に満ちている。東を向いて左手には、巨大なオリーブの木々のあいだを蛇行するヒエロポタモス川の先の、雲の柱の下に、雪を冠したイダ連山が黒々と荘厳に聳えている（図15）。宮殿が聳える蹴爪のような断崖は、春になると花で覆われる。黄色い大きなマーガレット、花弁の縁が紫のアネモネ、白いアネモネ、薔薇、アスフォデル、ヒアシンス、そのほか多くの花が咲き乱れ、もうひとつの美しい古代の島の、もうひとつの聖なる山の麓で、ペルセポネが望んだであろうたくさんの花々が燃えあがるように咲く。こうした永遠に変わらない花々の色味は、私の想像力を占拠するミノア文明のフレスコ画の亡霊にもういちど色を着けるのを助けてくれる。それはクノッソス宮殿の壁面で出会う現代的な色味には不可能なほど効果的である。

ファイストスからあまり離れていないところに、ミノアの「王の別荘」の遺構があり、のちに建設されたビザンテイン時代の小聖堂に因みサンタ・トリニタ、あるいはアギア・トリアダと呼ばれている（図16）。この名が有名になったのは、その地下からミノア美術でもっとも壮麗なオブジェが発見されたからである。そのひとつが、「刈入人たち」と呼ばれる凍石の壺である（図17・図18）。全体が松毬のような鱗に覆われ、野生的に見える、長くゆったりした儀式用の上着を着た一人の合唱指揮者（コリフェオ）が先導し、上半身が裸の刈入人たちがぴったりと列をなして、踊りながら進む。彼らは先の尖った木製の熊手を肩に担いでいる。老いた黒人の男がシストラムをかき鳴らす。その後ろに三人の黒人が続き、音にあわせて歌っている。無骨な男たちの顔が法悦的な舞踏へと変化していく。とくに黒人たちの隣にいる刈入人は、目を閉じて微笑を浮かべ、天上的な至福を告白するようである。

イラクリオンの考古学博物館のその他(た)の多数の驚異的な展示品は、何度か鑑賞するうちに色褪せてくる。訪れるたびに圧倒されるのは、この凍石の壺のみであろう。蛇女神とその従者の小彫像（図19）は、目を大きく見開き、黄疸のような肌色で、乳房をむきだしにしていて、最初は驚きを与えるが、精密な観察の反復には耐えられない。有名な凍石製の牡牛の頭部さえ、二度、三度と見るうちに、当初より魅力が減る。そしてほとんど肉屋の看板に見えてくる。しかしながら、壺絵の刈入人たちは、キーツが歌う「ギリシアの壺」（'Ode on a Grecian Urn,' 1819）の人物像のように、永遠の若さを享受しているように思える。彼らも永遠に踊るであろう、終わりのない祭日に、都市や帝国が滅亡しても動じることなく。

別の日の朝に、私はイラクリオンより東の、海岸沿いのマリアにいた。冷たい北西風が強く吹きつけ、紺碧で半透明の海にディア島が浮かぶ。「非常に神聖な」を意味するアリアドネが捨てられた荒地の島は、太陽の光を浴びてオリーブの葉のように色を変える。カコン・オロス［悪しき山神の意］が見える。刻み目のある赤茶けた岩石を、古代クレタ人たちは愛したにちがいない。なぜならその山塊はフレスコ壁画にくりかえし登場するからである。海岸沿いには風車を使って灌漑した野菜畑が見える。私はまた別の、非常に古い宮殿の基礎遺構を見て回った。新緑の草地と青い海のそばの蝗豆の木のあいだに、赤い石で建てられた宮殿である（図20）。中庭には丸い灰吹皿(コッペッレ)状に加工した石の円盤があり、往時にこの場で遊んだものであろう（図21）。

帰り道に、私たちは小さな食堂で美味しい料理を食べた。その菜園には井戸、巻上機、南瓜があり、騾馬の頭蓋骨が魔除けとして棒杭に差しこまれていた。クレタ島で食事をとった場所は心に刻まれて残った。それは病気で臥せっていた部屋が心に残るのと同じである。プリニウスが注釈した「クレタ島の武鯛(ぶだい)」（Scarus Cretensis）の美味な肉を、クレタ島で私が口にしたとは、読者各位は思いもしないであろう。「いまや武鯛(ぶだい)は最も美味な魚とされる」（Nunc scaro

図19――《蛇女神小像》紀元前一六〇〇年頃　ファイアンス焼き　クノッソス宮殿出土
クレタ　イラクリオン考古学博物館

図 20 ———マリア宮殿　紀元前一七〇〇年～一四三〇年頃　クレタ

図 21 ———マリア宮殿　中庭のケルノス土器　クレタ

datur principatus!〔『博物誌』第九書二九章〕)。イラクリオンには、フランス語の「カプリース」(Caprice) をギリシア語化した“Kapris”という名の食堂がある。メニューもフランス語で書かれているが、料理はじつに土着的である。あまりに土地に根ざしているので、二度通ったあと、この店で使われるバターと偽称されるものは「カンブロンヌの言葉」〔糞(メルダ)の湾曲表現〕としか呼びようがないという結論に達した。そこで私は、向かい側の「ハイ・ライフ」(High Life) という名のけばけばしい菓子屋を試してみた。そしてとうとう、自分が食べていたものの起源をたしかめる原始的な方法に頼り、優秀なザッカリとともに市場に買いものにいき、一三・五ドラクマをだして、無数の蠅がたかるひどく硬い赤身の肉を一切れ買ったのである。

このようなフランス語や英語の名前が使われているのを見ても、イラクリオンが土地の色を失ったとは思えなかった。地元の人びとはむしろ非常にピクチャレスクで、あの胴に密着するダブレットと濃紺のズボンを身に着け、あちらでもこちらでも縁なし帽やターバンをかぶっている。太陽に焼かれ、すりきれて垢で光るぼろ布をまとった乞食が、鞍のない驢馬にまたがり未舗装の道路を進む様子は、レヴァント地方に取材した油絵風石版画によくでてくる大悪漢の典型である。農民のなかにはフードつきの厚手の上着を着て、黄色いなめし皮のブーツを裸足で履き、伸び放題の顎髭にマラリアでやつれた顔をした者もいて、スパニョレットが描く隠修士を思わせる(図22)。

西洋の要素がグロテスクに侵入してもピクチャレスクさが減ることはない。ゴルティス〔クレタ南部の古代都市〕では、小農の家で英国国旗が額に入れられ、下に「カナダ」と書かれていたのを見た。足下に敷かれた模造のトルコ・カーペットは、おそらくマンチェスターで製造されたのであろう。その農夫の親族の医者はヨーロッパ式の服装をして、食堂には家族を描いた初歩的な水彩画の隣に、病理学書のカラー図版を恭しく額装して飾っていた。そうすれば子孫が梅毒患者、痛風患者などの魅力的な図像を見て勉強できるように、と。

テュリッソスで入った小さなカフェでは、シチリア童話の『美しきジェノヴェッファ』(*Bella Genoveffa*) の色褪せたイラストが、ギリシア・トルコ戦争の粗野な版画——航空機、榴散弾、トマトスープのようにほとばしる血、グロテ

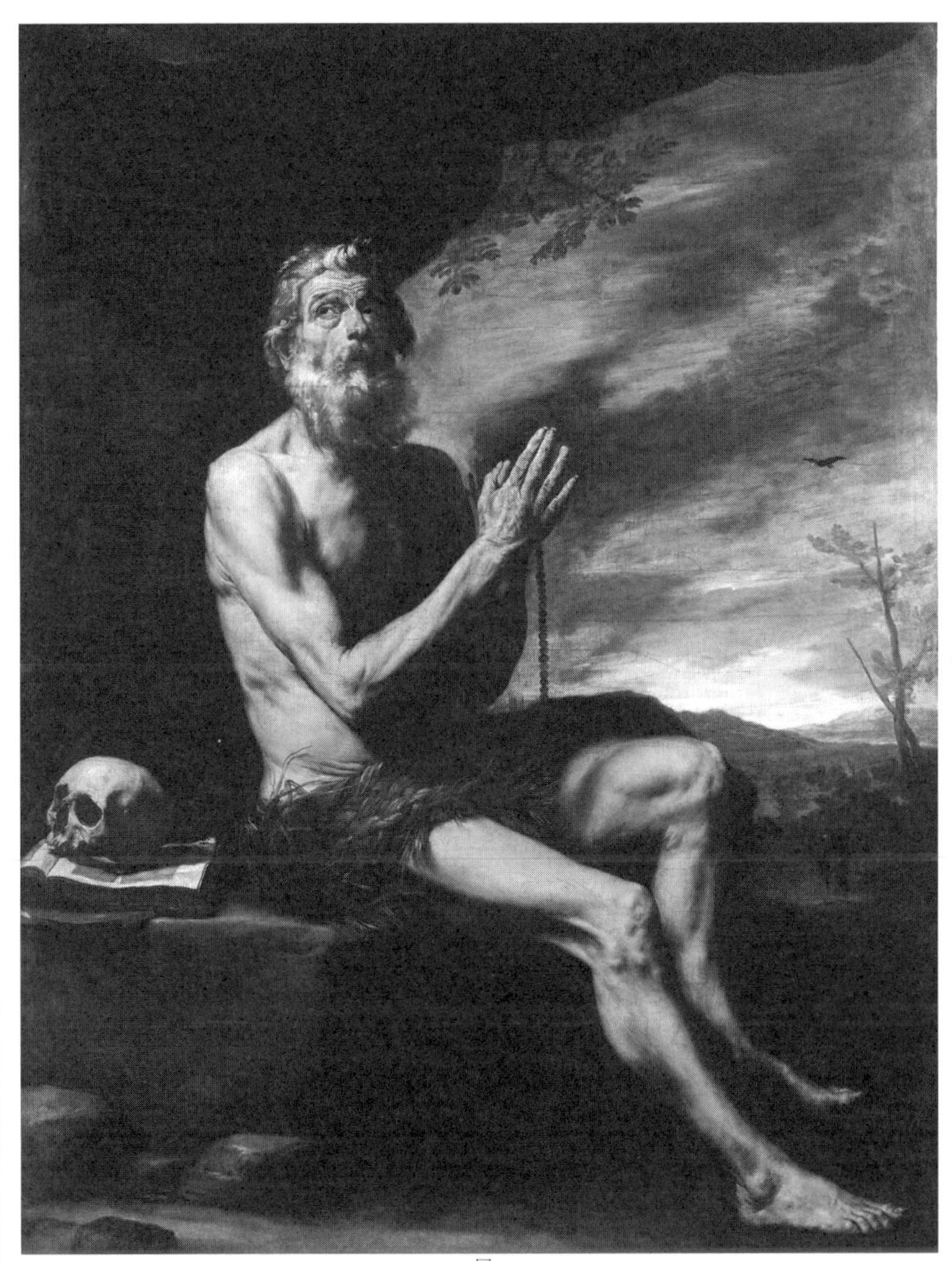

図22——フセペ・デ・リベラ（通称スパニョレット）《隠修士聖パウロ》一六四二年　パリ　ルーヴル美術館

スクな肉弾戦——と、ギリシア語に翻訳されたフランスの夫婦生活のカリカチュアのあいだで、壁に貼られているのを見た。ある裕福な人の家では、花模様の装飾がついた重厚な家具が、低く丸いトルコ式ソファ、日本の提灯、アメリカ製マスコット（フェリクス・ザ・キャットは欠かせない）、オダリスクたちの踊りを描いた質の悪い小さな絵の隣に鎮座していた。ただし、クレタ土着の色を表わす作品はどれも、「カナリアたちのカフェ」（Kapheneíon to Kanaríni）の看板をいつも想起させ、私の気に入ることは確実である。小鳥の名前の文字は黄色く塗られ、カナリアの入った籠が半ダースほど軒から吊り下げられていた。小鳥たちの囀りが古い港町中に響いていた。そして海の水は、黄色い看板との対比でさらに濃い青に染まっていた。

（一九三一年［新保淳乃］）

アテネ

イラクリオンにいくのは比較的容易な企てである。むずかしいのはそこを再び発つこと、イギリス人の友人が言っていたように、「そこから自分を救いだすこと」である。ギリシアの蒸気船には時刻表がない。運が良ければ、私がそうであったように、出発を一日遅らせるだけですむ。ところが、私が知っている人びとは、三日間も、またなんと一五日も我慢しなければならなかった。忍耐はレヴァント地方のどこでも安売りされる美徳なのである。

実を言えば、蒸気船がいつも悪いわけではない。海の責任でもあり、この地域では、大陸を分断する海の役割が忘れられたためしはない。というのも、クレタ島はもともと小アジアの鉤爪形に突きでた先端をなしていたからである。ロードス島、カルパトス島、カソス島はいわば壊れた橋の橋脚である。ヨーロッパ文明は、アジアという胴体から分かれたこの肋骨から生まれた。クレタ島とペロポネソス半島の距離は短いが、キティラ（キュテラ）島とアンティキティラ島はかつて大陸から突きでた岬であり、中新世〔約二三〇〇万年前〜五〇〇万年前〕に海が広がりエーゲ海が形成される以前は、地中海の反対側の端で〔スペイン南部アリカンテの〕カルプと〔北モロッコの〕アビラ岬が相対するように、向かいあっていた。クレタ島とヨーロッパを分かつ海域で、距離の短さにもかかわらず、有無を言わせぬ高価な通行料が課されるのはそういうわけである。そしてギリシアの小蒸気船はその命令に従わざるをえない。

ただし、船舶が従うのは海の命令のみではない。私に乗船の機会が回ってきたとき、「アフォボス」号（これが蒸気船の名で、「恐れを知らない」の意である）は三〇人のアメリカ人一行の命令に従い、彼らのクノッソス訪問のため出発を一日遅らせていた。アメリカ人旅行者とは、噂にたがわずおしつけがましい(オブトルーシヴ)のである。なお、彼らは絶望するほど（ほかの乗客たちが、という意味で）さらにおしつけがましかった。すべての甲板は彼らのもの、空室のキャビンはすべて彼らのものであった。風景は彼らのもの、大西洋の向こう側の鼻にかかった抑揚を習得せざるをえなかった、かわいそうなこだま(エコー)も彼らのものであった。そのため、蜂蜜と小麦粉を練った菱形の菓子（Mirodáta Pastélia!）を売る男の悲しげな民謡を私の耳が楽しんでいたあいだも、反対側から響く、アメリカ人観光ガイドが彼の世話に身を委ねた一人の女性客に向かってフィレンツェの最高級ホテルを数えあげる、鳥がギャーギャー鳴くような声に悩まされた。

自分をすっかり醜く汚さないように、私は三等船室にいった。そこにはモンゴル系の顔を白いハンカチで包んだロマの少女が二人いて、けばけばしいプリント地のコットンドレスを着て、腕に銀色の腕輪をはめ、三つ編みに緑と紫のリボンを結んでいた。彼女たちは低い声で一人の立派な兵士の手相を占っていた。男は下着のようにぴったりした白い毛の靴下と、なめし皮をかぶせた木靴を履き、飾りボタンが光る襞つきのタイトな濃い青の上着を着て、巨大な飾り房のついた赤いベレー帽をかぶっていた。これ以上にピクチャレスクな商品目録を想像するのは困難であろう。しかし、少し空想を働かせれば、このうえなくピクチャレスクなものについて語れたのかもしれない。なぜなら、空には雲がかかり始め、荒れた岬は薔薇色や緑色に染まり、遠方の真っ白な山々の頂は、ノルウェーのソグネ・フィヨルドの静かな山岳風景を思い起こさせたからである。

パノルモス［クレタ島北部沿岸レティムノン東部の港町］までは心地よい南風が吹き、空を仰いで「なんと爽快な、爽快このうえない」（*Oréa, Oréa!*）と、私に語りかけた人はまったく正しかった。パノルモスでは、海は子羊の群れのようなさざ波であった。レティムノンでは暴れ馬のような大波に変わった。午後三時頃に冷たい北西風(マエストラーレ)が強くなり、空は濃霧に覆われた。ハニア（図1）の手前でアメリカ人の女性の一人がはっきりと言った。「ここは私がこれまで見たなかでもっとも荒れはてた海岸です」。

図1——オスマン帝国時代のハニア港　一八九〇年　クレタ

いかにもトルコ風の外観の、粗野な寄港地が見えると、牝豚の群が縄縛りの拷問のように後ろ脚を縛られ高く引きあげられて船に積まれた。牝豚はわめき声をあげていた。だが豚たちが苦しんだおかげで、アメリカ人女性が全員甲板から姿を消した。とはいえ、甲板が長い時間無人になることはなかった。憲兵の一大隊がまるごと野営するようにそこに現われて、いわゆる一等客専用の肘掛け椅子と長椅子を占拠し、食べ、煙草をふかし、嘔吐した。こうして夜が更けていった。

私の寝台は、船尾をぐるりととりまく大船室の先端に位置するソファであった。そこでは一〇人ほどの乗客がデッキチェアやソファに寝そべり、また買物籠、ワインの大瓶、脚を縛った家禽類が置かれていて、そのほかにどれだけ障害物があるか見当もつかなかった。最大の障害はしかしながら、以下のことであった。真夜中にさしかかろうとするころ、わたしは全身が震えて目が覚めた。壺から水があふれるかのように、我慢の限界を超えて、気がおかしくなりそうであった。客室責任者に一杯のコニャックを頼むと、彼は「私にお心づけを」(*Bakshish per me!*)と口にした。まずはチップ、サービスはそのあと。私が彼のアラビア語とイタリア語の混ざった隠語を理解したように、彼が分かってくれることを願いながら、あるフィレンツェの言い回しで返した。

私はソファに横になったが、大隊の上官の大声が響くなかでどうやって眠れというのか。海が彼らをミノタウロスに変身させた。荒い鼻息をつき、呻き声のような鼾をかく怪物は、頭から爪先までまるで［未来派のルッソロが制作した］騒音調整機（イントナルモーリ）であった。時折、獣じみた命令の言葉をさえぎって絶望的に訴える声が聴こえた。「給仕さん、給仕さん」（*Camaròto! Camaròto!*）。救いを求められて客室乗務員がかけつけた船室では、四人のギリシアのご婦人が金切声をあげて非難の四重奏を始めていた（ギリシア事情に通じた多くの人々は、私がここで古い小咄をくりかえすと思ったであろう。似たような状況がギリシアの蒸気船の上であまりに頻繁に起きるため、有名な格言になったことを付言しておこう）。蒸気船は野生の馬のように快速で進み、早朝にはわれわれをアテネの空の下に運んでくれた。まさにあの朝の空は物悲しく、雨が降り、一一月のドーヴァー海峡のようであった。真昼になってようやく晴れてきた。私は英仏海峡を五〇回は渡ったと思うが、そのなかで今回のエーゲ海を渡る旅ほどメランコリックな旅はついぞなかった。

「アテネ」。その名を発音することですべてが語られる都市である。その名を口にしたら、あとはなにも言わなくてもよい。

私が生まれた都市は、「アテネ」という名である（'La città dov'io nacqui,' 1890）。

このアルトゥーロ・グラフのソネットのような紹介には、脱帽するしかない。

「ギリシアの島々、ギリシアの島々よ」——バイロンは歌った（'The Isles of Greece,' 1816）。この始まりの句があれば、凡庸な詩人を不滅の存在に変えるのに十分である。「ギリシアの島々よ」。島々の名は幾多の意味や神話に満たされており、どれだけ誇張してもしすぎることはない。そして、はじめてアクロポリスの丘に登ったときのように、ほとん

図２－１――アクロポリスの丘とピレウス港

サンフォード・ロビンソン・ギフォード
図２－２――《パルテノンの廃墟》一八八〇年
ワシントン　ナショナル・ギャラリー・オブ・アート

ど息が止まりそうになる。おまえの歓喜、おまえの巡礼は、いかにギリシア的な自然への没入に似ていることか。おまえはアクロポリスを訪問すると思いこんでいるけれど、よく考えてみたまえ、おまえを注意深く観察し、おまえの魂の奥底を品定めするのはアクロポリスのほうである。そして丘の上に、この永遠の風のなかに立てば、おまえの魂は朝鮮薊の冠毛ほどの価値もないのである。

　いくたびも反復された言葉をおまえもくりかえすのであろうか。中庸、晴朗、完全。「パルテノン神殿のすべてがいかに計算しつくされているかを見よ」〔シャトーブリアン『パリからエルサレムへの旅程』一八一一年〕。「完璧な神殿、世界の物差し」。そしておまえは、円柱を恋人や母親かのごとく抱きしめるであろう。

　数百にのぼる民衆作家たちはみな、あの丘にのぼり散文と詩の貢物を捧げた。彼らの詩句は、美術館の展示室に置かれたアテネの少女たちの奉納像である「コレー」のように、丘上の狭い空間に詰めこまれている。ただ、白大理石あるいは淡黄褐色の大理石の上に、幾多の感情が迸った痕跡は残っていない。朝がくるたびに大気は刷新され、無数の人影で賑やかなこの場も、愛情をもって近づく者にとってはいつも無人に等しい。私たちは一人ひとり、聖域への前門であるプロピュライアの真っ白な円柱のあいだから、遠くの海の入江や菫色に染まる山々を長いあいだ見つめた（図2-1・2）。私たちのそれぞれが、あの神聖なる大理石の四肢に触れて半神になったように感じた。私たちのそれぞれが、一瞬だけ、イクシオン〔義父殺しのため燃える車輪に永遠にくくられる神罰を受けたギリシア神話の人物〕になり、空想の影を抱きしめた。しかし、誰もが知るこの丘は、永遠に処女でありながら、なにごとにも動じず微笑んでいる。……そう《ジョコンダ（モナリザ）》の微笑のごとく。

　いや、アクロポリスよ、私は秘密を守るであろう。そなたには私が思っていた姿を享受していて欲しかった、山と海辺のあいだに並べられた古びた大理石という姿を。そなたが世界の物差しではないかのごとく、古の王冠を着けていないかのごとく、私はふるまった。そなたを愛せるように、私はそなたに首を垂れるのをやめた。

　もし誰かの文章を引用するとしたら、私は他の誰よりもトゥキュディデスを好む。古の歴史家がペリクレスの口を借りて発した言葉を、アテネを措いてほかにどの都市が自分のものにできるであろうかと私は考えた。

吾々は精神のために日頃の労苦に対する慰安の場を多々提供してきた。吾々は、一年中、競技や供儀を催しているし、また私宅に美しい設備を持ち、それを日々に楽しむことによって吾々は悲哀を追い払う。また吾々のポリスは大国であるがゆえに、全地上から万物が輸入されており、吾々にとっては他国の産物よりも自国に生じた作物を収穫して味わうほうが身近だということは全然なくなっている。[☆1]

これを要約して言えば、吾々のポリス全体がギリシアの教育機関であり、私の見るところでは、吾々の各人が最も多様な方面の活動で極めて優美かつ有能な自足的人間として現れるであろう」(『歴史』第二巻・藤縄謙三訳)。

チェッリーニがフィレンツェを形容した言葉を覚えておられるか。「真にこの都市は最高の技芸を教える学校であった」。ワーズワースがロンドンについて言ったことを覚えておられるか。「地球上の他のどこにこれほど美しい眺めがあろうか」['Composed upon Westminster Bridge,' 1802]。

一六世紀のフィレンツェの人びと、一九世紀のロンドンの人びと、そのほか多くの人びとは、自分たちの芸術や商売を誇りに思っていた。充足が最高潮に達したある日、彼らは比類なき大都市への頌歌を高らかに歌う。アテネ、フィレンツェ、ロンドン、そして未来はニューヨークか。「私は支配した(Regnavi)、私は支配する(Regno)、私は支配するであろう(Regnabo)」。運命の車輪が回る。勝利の讃歌は白鳥の歌である。繁栄は究極の花である。冬、春は近い。夏、秋はもうすぐである。アテネの人びと、フィレンツェの人びと、ロンドンの人びと、彼らはあまりに文明人であった。次はより素朴で無骨な人びとの出番である。

アルゴスと同盟諸国の兵士たちは、以上のような督励を受けた。一方ラケダイモン軍では、兵士たちが仲間同士で戦闘の歌を合唱しながら、各自が身につけたものを思い起こし、勇気を発揮できるように互いに励ましあった。わずかの時間に美しく語られた激励の言葉よりも、長年かけて積みあげてきた現実の訓練の方が戦場の助けとなるのを、彼らは知っていたのである。この後、合戦が始まった。アルゴスとその同盟軍は気勢を上げ勢いよく突進してきたのに反して、ラケダイモン軍は多数の笛吹き隊の合奏にあわせて、ゆっくりと進んだ。笛吹き隊が隊列に加わっているのは、宗教儀礼のためではなく、笛のリズムに足並みを揃え、大軍勢の進撃にありがちな戦乱の乱れを避けるためであった（『歴史』第五巻・城江良和訳）。

ペリクレス、プラトン、アルキビアデス、すばらしく説得力のある演説、節度ある完全。ただし当時は、スパルタの名もなき重装歩兵のほうに分があった。なお、神々への讃歌が歌われたとき、傷つき衰弱した身体、高く掲げた戦利品（両軍ともそうした可能性があり、古代ギリシアの戦闘では、右の部隊が勝っても左の部隊が負ける、あるいはその逆だったからである）、抹消された墓碑、戦士らと雄弁家らが埋葬された都市は、いつまでも美しき言葉、美しき彫像のままであった。「著名な人物にとっては大地全体が墳墓なのであって、祖国にある墓標の刻文だけが顕示するのではなく、異教の地にあっても、物よりも心に刻まれた記憶が各人の中に住み続けるのである」（『歴史』第二巻・藤縄謙三訳）。このような言葉と、頭を垂れ長い槍によりかかったメランコリックなパラス・アテナ女神の浅浮彫り（図3）。それはまるで大理石でできたペリクレスの言葉である。麗しき言葉、麗しき彫像。

晴朗さ、そして節度。ただし常套句には気をつけよう。アルキビアデスとエレクテイオンは平穏でもなく完璧でもない。実を言えば、かのアルキビアデスはイタリア・ルネサンスのアレティーノやチェーザレ・ボルジアと一緒にいたほうが似合うと私は思う。「民家で嘲笑行為が犯された」——エレウシスの秘儀への冒瀆のことをくりかえすまでもなく、私には黒ミサの腐臭が感じられる。アルキビアデスはジル・ド・レの先駆者であったのか。いずれにせよ、彼には彼の生き方があったとしても、あまり調和のとれたものではなかった。困難な時代であったのはたしかで、エ

図3——《沈思のアテナ女神》紀元前四六〇年頃
アテネ　アクロポリス博物館

レクテイオンの建築家たちが解決せねばならなかった問題も難解であった（図4-1・2）。とはいえ、建物を構成する長い円柱、短い円柱、カリアティードの三つのヴォリュームは、アルキビアデスの波乱な人生と同程度には調和している。二つは優美なイオニア様式の傑作である。だが、四分の三が欠けている。

アクロポリスのもっとも美しい眺望は、「風の塔」へ降りていく途中にある（図5）。この石造建築は、調和なき巨大な近代都市の微細な部分ではなく、あの場所で孤立して見える。孤独で、屹立し、純粋である。民家のあいだに遺跡が現われ、庶民が道を歩く、あのアゴラの一帯をどれほど私が気に入ったことか言葉では表わしがたい。この光景は、ローマの、発掘が始まるまえのフォリ・インペリアーリ地区を思いださせる。これらの廃墟は、畏敬の念をあまり感じさせるものではない。内部が水力時計になっていた興味深い八角形の塔（図6）、市場（図7・図8）、図書館（図

図4 - 1———アクロポリス　エレクテイオン　紀元前四二一年～四〇六年建造
一八三〇年代～四〇年代南北西壁再建・カリアティード修復
アテネ　一九世紀後半～二〇世紀初頭の写真　ゲティスバーグ大学図書館

図4 - 2———アクロポリス　エレクテイオン　二〇世紀初頭・一九八〇年代の全体的再建後　アテネ

図5———ローマ時代のアゴラと風の塔　アテネ　アクロポリス北麓

図6———ローマ時代のアゴラ　風の塔（アンドロニコスの時計塔）紀元前五〇年頃　アテネ

図7———古代のアゴラ（紀元前六世紀）とアッタロスの柱廊（紀元前一五九年～一三八年）　アテネ　一九五二年撮影

図8———古代のアゴラとアッタロスの柱廊（一九五二年～五六年復元）　アテネ

刊行案内
2023/11
ありな書房
113-0033 東京都文京区本郷1-5-15
TEL 03 (3815) 4604

◎——Livres à venir

◉ギリシアへの旅
——建築と美術と文学と
碩学の旅Ⅲ　マリオ・プラーツ著／伊藤博明監修・他訳

○迷宮のアルストピア（仮）
——新しきイマジナリアを求めて
イタリア美術叢書Ⅶ　金山弘昌責任編集

○古都ウィーンの黄昏（仮）
——建築と美術と文学と
碩学の旅Ⅳ　マリオ・プラーツ著／伊藤博明監修・他訳

○ポリーフィロの愛の戦いの夢（仮）
——ルネサンス文学における愛という表象
フランチェスコ・コロンナ著／日向太郎訳

◎——価格はすべて本体

◎――イギリス美術叢書

イギリス美術叢書Ⅰ　田中正之監修解説　小野寺玲子責任編集

ヴィジョンとファンタジー

――ジョン・マーティンからバーン＝ジョーンズへ　4500円

イギリス美術叢書Ⅱ　田中正之監修解説　小野寺玲子責任編集

フィジカルとソーシャル

――ウィリアム・ホガースからエプスタインへ　4500円

イギリス美術叢書Ⅲ　田中正之監修解説　小野寺玲子責任編集

デザインとデコレーション

――ウィリアム・ブレイクからエドワード・M・コーファーへ　4500円

イギリス美術叢書Ⅳ　小野寺玲子責任編集

ランドスケープとモダニティ

――トマス・ガーティンからウィンダム・ルイスへ　4500円

イギリス美術叢書Ⅴ　小野寺玲子責任編集

メディアとファッション

――トマス・ゲインズバラからアルバート・ムーアへ　4500円

イギリス美術叢書Ⅵ　山口恵里子責任編集

エロスとタナトス、あるいは愉悦と戦慄

――ジョゼフ・ライト・オヴ・ダービーからポール・ナ

小野寺玲子――著

絵画は小説より奇なり

――一八世紀と一九世紀のイギリス絵画を読む

◎――叡知/知識を伝えるアルテ　リナ

L.ボルツォーニ著/足達薫+伊藤博明訳

記憶の部屋

――印刷時代の文学的＝図像学的モデル

L.ボルツォーニ著/石井朗+伊藤博明訳

イメージの網

――起源からシエナの聖ベルナルディーノまでの俗語による説

L.ボルツォーニ著/足達薫+伊藤博明+金山弘昌訳

クリスタルの心

――ルネサンスにおける愛の談論、詩、そして肖像画

図 9———ローマ時代のアゴラ　ハドリアヌスの図書館　一三二年　西壁とプロピュライアの遺構　アテネ

図 10———ローマ時代のアゴラ　ハドリアヌスの図書館　中庭の一一世紀のキリスト教聖堂の遺構　アテネ

図11――ケラメイコス墓地　紀元前一二世紀～六世紀のネクロポリス　一八六三年発見　アテネ

図12――ケラメイコス墓地　財務官コリトスのディオニシオスの墓の牡牛像（複製）　紀元前三四五年～三四〇年　アテネ

図13——フィリップ・フォルツ《ミュンヘン宮廷に別れを告げる初代ギリシア王オソン一世》 一八三二年以後 ミュンヘン ノイエ・ピナコテーク

図14——レオ・フォン・クレンツェ設計 バイエルン王宮広場のプロピュライア 一八六二年 ミュンヘン

9・図10）は、いずれも物惜しみしない異邦人による建築物である。これらを建てたキュロスのアンドロニコス、アッタロス、ハドリアヌスはそれぞれシリアの一市民、ペルガモン王、そしてロマン主義的デカダンを体現する好事家や異国趣味の人びとに先駆けて折衷主義的で奇矯な趣味をもった古代ローマ皇帝であった。

アゴラの周りには慎ましい職人たちの小さな店が集まり、履物屋、靴屋、鍛冶屋がある。小さな工房兼店舗が物音をたて、煙や蒸気を吹きだし、埃を撒き散らしながら、大理石の優美な牡牛が鎮座するケラメイコス（ケラミコス）の墓地（図11・図12）をとりかこんでいる。ケラメイコス墓地は整地された土地に生育不良の木々が立ち、周囲の民家は崩れかかっている。その様子は、まだパンタネッラ社のパスタ工場があったころの真実の（ボッカ・デッラ・ヴェリタ）口周辺を想起させた。あのパスタ工場は惨めであったが、とるにたらない片隅の風情が、真に崩壊した廃墟の味わいがあった。いまとなっては誰がそれを見つけられるであろう。すべては綺麗に修復され、博物館のなかのように監視の目が光っている。

最終的に、どれほどの深淵がアクロポリスとそのほかのアテネの廃墟を隔ててしまったことか。われわれにできる最善のおこないは、古代都市を囲むプニュコス（プニカ）やアレオパゴスの丘、ニンフの丘、ムーサイの丘をあてどなく彷徨い、かつてここではない場所で、すなわちバイエルン王国のミュンヘンで、近代ギリシアのあの悲壮な初代国王がいた大学と王宮を見たことを思い起こすくらいであろう（図13・図14）。

（一九三一年［新保淳乃］）

☆1——このモティーフはエドムンド・ウォーラーが『護国卿を称える詩』（*Panegyric to my Lord Protector*）にて、またジョセフ・アディソンが『スペクテイター』誌六九号のロンドン証券取引所についての論考にて、反復している。

スニオン岬とデルフォイ

スニオン岬は最近までイタリア語名のカーポ・コロンナのほうが知られていた。かの有名な巡礼者ハロルドもそう呼んでいた（*Childe Harold's Pilgrimage*, 1812）。今日、博学な人ほど古典的な名を好み、素人はそれほどでもない。カーポ・コロンナは名称なので、記述的であるばかりか、ほとんど寓意的な価値をまとっている。その名を耳にしただけで、ヘラス（ギリシア）の典型的な岬の光景が思い浮かび、ギムナジウムの教室で憧れていたように、プッサンが描く淡い赤ワイン色の空（図1）を背景に垣間見るように、ことによるとベックリンの絵の紺碧の空に浮かぶまばゆい雲（図2）を背景に見るように、想い起こされるのである。

光り輝く島々の王冠が目前に見える（図3）――ギリシアの島々よ、ギリシアの島々よ――岬と、そして岬の頂点で空を塗りつぶすように聳える一群の真っ白な円柱と。「神殿は岬の高みで廃墟となり」。この光景はごくわずかな色で構成されている。紺碧、純白、シエナの土と呼ばれる赤みを帯びた茶。ただし、木も生えずほとんど砂漠のような土地は濃淡に満ちている。エヴィア［エウボイア］島はやや明るい青（アッズッリーナ）と菫色の、アンドロス島は淡青色（チレストリーナ）の、マクロニソスやアギオス・ゲオルギオスなど近くの小島は赤みがかった色のグラデーションに染まる。

またダヌンツィオが愛した美しい名の島々、ケア、キスノス、セリフォスは桃の花と勿忘草の中間の色で、アフロディテ（ウェヌス）の胸元からこぼれ落ちるたくさんの花々のよう。風景と化した晴朗さである。目に見えるリズム

図1——ニコラ・プッサン
《ウェヌスの誕生／ネプトゥーヌスの凱旋》一六三五／三六年
フィラデルフィア 美術館

図2——アーノルト・ベックリン
《生の島》一八八八年
バーゼル 市立美術館

図3——スニオン岬のポセイドン神殿
紀元前四四四年〜四四〇年再建

に変換されたアポロンの黄金のチェトラの音であり、土と海の色に変化したピエリデスの歌声である。ここではすべてが象徴に変わるため、人生の寓意の超越的な価値を与えても滑稽には思えない。レールモントフが詠う、背景にマンダリン（オレンジ）色に染まった運河が流れる穏やかな風景に突然出現したあの帆船のように。

私たちは熟考からしぶしぶと身を引き離す。それでもアテネへの帰路に通ったアッティカ地方も美しい。港町ラウリオン（ラブリオン［図4］）のあたりで、赤菫色のアネモネが咲く平野が、松林の薄暗い傾斜地と対照的に目をひく。だが風景はたいてい甘美な調和を与えてくれる——むきだしの大地と青々とした山の、赤色と薔薇色のチェス模様になった花畑と黒や白の羊たちがあちらこちらで草を食み、いたるところで銀色に煌めくオリーブ林の甘美な調和。

ところが、デルフォイ（デルフィ）はまったくの別世界である。そこに到着する道程の選択がとても重要に思われる。晴れた日に海から向かいイテアに上陸すると想定するなら、神話に言う「デルフィニオのアポロン」神域への道をたどることになり、その坂道は太陽神殿の大階段、厳密にいえば「パルナッソスへの階段」を登るのと同じである。蒸気船アフォボス号で旅した思い出はまだ新しすぎた。なぜなら私は、ギリシア人が言うにはとても良くない航路を通る、別のギリシア海上運輸会社を体験したい気持になってもおかしくなかったからである。そのため、私は山を越えてデルフォイに向かった。それは高く険しい山の恐怖に満ちた道程で、太陽神の光り輝く存在よりも、むしろアポロンが闘ったあの大蛇ピュトンを従える冥界の神が出現してもいいように心の準備をしていた。最初の夜は月食であった。月の円盤が黒縮緬の袋に吸いこまれるようにだんだんと消えていく陰鬱なイメージから、樅の木が突きでた断崖の端で、悪意ある霧に包まれたあの山々が思い起こされた。雪を冠した剣のような頂が頭上高く、霞のなかそこかしこに輝いている、その光景は荘重で混沌としており、英雄オシアンにふさわしかった。

デルフォイ（図5）に着くと、高い雲が遠くで灰色の天蓋をつくり、山々の峡谷は先ごろの雨でみずみずしく、地上を埋めつくすあらゆる繊細な色彩——緑色、赤苺色と赤錆色、菫色、栗色、そしてはるか遠くは青色——に染められ、安息の深呼吸をしていた。水をたっぷりと含んだ土壌がつくる壮麗な地層である。ヒースに覆われたこの山々はスコ

図4———スニオン岬からラウリオンへ向かう海岸線

図5———デルフォイの集落とアンフィサ湾の眺め

ットランドの山地に似ている。正面に見える灰色の岩肌が露出したこの崖を、私はかつてスコットランド高地のグレンコーで見ている。深い静寂のなかをチリンチリンと鐘が鳴り、なにもかも不動で生命のない静けさ。フェドリアデスと呼ばれる［パルナッソス山南麓の］ひときわ高い二つの聖なる崖のあいだから、霧が蒸気のように湧きたち、洞窟にいまだ神が棲んでいるかのような感覚を除けば。ただ、開けた谷間の奥をキラ村のほうに向かうと、オリーブの森の先に、堅固な岩壁に囲まれた、ほとんど官能を刺激するしなやかな森が続くが、西に向かうと視界が開け、空色の微笑に輝いていた。アンフィサ湾である。

記憶の奥底から古い詩句を浮かびあがらせたのは、この突然の閃光のような優美さであったのかもしれない。「人目を忍んで山奥に隠棲する」（orèon keuthmônas échei skioénton）。

そう、私はギムナジウム［後期中学校］の五年生の教室に戻っていた。心優しい代理教師が、私たちの意味不明の生彩のないギリシア語に疲れて、じつに完璧なワインを一瞬だけ味見させてくれた。そう、ピンダロス（Pindaro）の寸言である。日々ピンダロスに親しんでいるその教師は、私たち生徒に合わせてレヴェルを下げてくれたのであろうか。クラスの生徒たちは、ピンダロスとニーチェ［Nietzsche］を研究して熟知しているこの大学研究者の「超人」[☆1]（superuomo/Übermansch）からの皮肉まじりの叱責に、それとは知らず馬鹿にして高笑いした。ピンダロ（Pindaro）、なんだこの滑稽な名は。「ピン」（Pin）とは、クリスタル・ガラスのグラスをナイフで叩いたときのような音のこと。「ピン…ダ・ロ（音が……鳴・る）」（Pin...da-ro）。彼はなんと言っていたのか。たしか「ニッチェ」（Nicce?）って。「そうかニッチェという名の誰かのこと」（O chi gli era *Nicce?*）。生徒たちは嘲笑していたが、古代の哲学者を象ったヘルメス柱像の頭部を思わせる丸顔の代理教師が、意味不明の言葉を美しい響きのイタリア語に翻訳したときは全員が聴き入ってしまった。ほとんどの生徒は前例のない現象にでくわしたときの奇妙な羞恥心に襲われ、また恋愛の始まりによく似た見知らぬ感動に一瞬だけとり憑かれた者もいた。それは詩であった。

この乙女が、ある時、たくましい獅子と
ただ一人、武器もなしに組みあっているところへ、
幅広のえびらをもつ遠矢の神アポロンが遭遇したのである。
すぐ神はケイロンに声をかけ、その住まいから呼びだした。
「おごそかな洞窟から外に出よ、ピリュラの子よ、そしてあの女性の勇気とすぐれた力を
嘆賞せよ。いかに彼女は、恐れを知らぬ頭をあげ戦っていることか。
乙女であるが労苦に負けぬ心を
もっている。心胆を恐怖でかき乱されてはいない。
どの人間が彼女を生んだのか。どの一族から引き離され、
陰の濃い山奥に住みながら、
無限の力を享受しているのか。
彼女にわが名高い手を触れて、
ふしどから蜜の甘さの草葉を摘むのは許されているか」(「ピュティア祝勝歌」第九歌/内田次信訳)。

そこで私は、デルフォイの山々のあいだに、この山々を走り抜けたテレシクラテスのためにピンダロスが歌った美しきキュレネの神話を設定してみた。ギムナジウムの一代理教師が私たち無知な生徒のために翻訳してくれた神話である。何年もあとになって、この地で、露に濡れた下り斜面の草地の上で、廃墟と廃墟のあいだを通る花咲く小道を歩きながら、あの教室と青年であった自分に、そして霊感に満ちた教師に再会した。なにもかも、詩人が歌う神話より現実感が薄く思われた。

古典文学を少しかじっただけでも、それらを借用した無数のざわめきが脳裏によみがえるのを感じずにデルフォイ

を訪れるのは不可能である。同行のあるイギリス人婦人も、ギリシア語とラテン語を解する私たちのグループの優越性に圧倒されながら、諦めることなくカスタリアの泉〔巫女や参拝者が身を清めたパルナソス山麓の霊泉〕（図6・図7）への特別な信仰を吐露した。彼女は、銀の容器——彼女はそのために入っていた白粉を空にした——で泉の水を一口ずつ飲むようみなに強要した。目鼻立ちを調えるための貴重な白粉を彼女が犠牲にしたことを私たちは褒めたたえ、誰か一人が泉の水路を覆う板のあいだに身を滑りこませ、天然の岩石から湧きでる令名高き泉水を汲んだ。この水は奇跡的な効果を生んだ。というのも、水を汲んだ人がその直後に、「月桂樹に捧ぐ」と題された、彼が大学時代にアポロンの聖樹を詠んだ詩を吟じたのである。彼にとってもデルフォイは親しみ深い場所であった、たとえそれまで見たことがなかったとしても。

なお、マシュー・アーノルド流の正確な古典主義的作風の彼の詩句のなかで、パルナッソス山は白々と光り、若き運動競技者たちの手足は輝き、カスタリアの泉は清らかな泉水を吹きだしていた。その詩句は気高くはなかったが、詩行とこの場との不均衡は感じさせなかった。作者はギリシアにとって異邦人で、蛮族の国の知事をかつて務め、人生の最良の時期をインドで過ごしたイギリス人であった。あの国では、学校で学んだ古典文学が彼の友となり、古典の詩句や散文を囁いてはこの異国の亡命者に助言と慰めを与えた。かの古典作家らの名前を聞けば、彼も私も同じ文明をもっと感じることができた。これが人文主義（ウマネジモ）であった。

デルフォイの廃墟のうち、競技場（スタディオン）の遺構はおそらくもっとも生き生きと記憶に残るであろう（図8・図9）。小神殿、有名な記念物は、基礎と折れた円柱、そして断片しか残っていない（図10・図11）。しかし高所の、山の稜線上を象るスタディオンの曲線はそれ自体が純粋で完全である。あそこでは、葦笛の物悲しい音色がどこから響くのかを知る者が私たちのもとにやってくる。幾世紀にもわたり、山々はあの音色を聞き分け、羊の群はその魔術的な魅力にうっとりしてきた。笛の音は険しい山々に囲まれた広大なくぼ地ではじつに微かであったが、それでもなお、風景全体がその支配下に置かれ、その永遠性に固定されたようであった。

図6———カスタリアの泉と供物をささげる古代の壁龕　デルフォイ

エドワード・ドッドウェル
図7———《カスタリアの泉》 一八一九年の原画に基づく彩色アクアチント
Edward Dodwell, *Views in Greece*, London 1821.

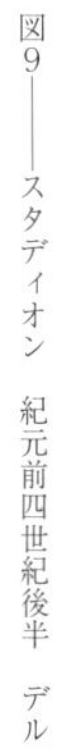

図8――デルフォイ神域の全景

図9――スタディオン　紀元前四世紀後半　デルフォイ

図10———アポロン神殿　紀元前三三〇年　デルフォイ

図11———アテナ・プロナイアの神域　紀元前六世紀末　デルフォイ

ある雨の朝、私たちは博物館を訪れた。戦車の御者（アウリーガ）、踊り子たち……。美しい群像は、遠い昔に写真を見た記憶があり、長らく憧れを抱いたものであると気づいた。「デルフォイの舞姫たち」である（図12）。ドビュッシーの調べのなかで、彼女らが荘厳な宗教的舞踏を踊るのを幾度聴いたことか。三人の乙女は大理石の肉体をもつ三輪の花のように、バロック装飾を思わせるアカンサスの葉のついた非凡な茎に載っている。あの朝の冷え切った大展示室で、彼女たちは寒さに身を震わせていたにちがいない。二つの火鉢から多量の煙が立ちのぼっていた。その周りで、醜い絵葉書や粗悪な写真を手にぶつぶつと不平を漏らしていたアメリカ人女性たちを、博物館の監視員が目の前から追い払っていた。剃り残しのある髭に躁病人のような目をしたこの老人は、檻に閉じこめられた動物のように部屋から部屋へと休みなく歩き回っていた。彼の指は落ち着きなくロザリオの黄色い大珠を繰り、涎で汚れた唇から英語で余計な説明と商人らしい執拗な言葉を滝のように吐きだしていた。その英語のひどいこと。博物館は縦も横も全体が彼のものであり、御者（図13）も踊り子たちも、ナクソスのスフィンクス（図14）も、シフノス人の宝庫（図15）も、耐えがたい猿の檻の意味不明な飾りの地位に落ちぶれてしまった。

はるかに穏やかであるものの、同じく耐えがたかったのは、「ピュトンのアポロン」の看板を掲げたホテルの支配人である。彼は白髪まじりの小柄な男で、大きな眼鏡をかけて胸をはり、頑固な顔つきでナポレオン風に手を後ろに組んだまま、見張りに立つ看守のようにダイニングルームを端から端まで走るように歩くさまは、義務を果たしていることを囚人となった私たちに告げるかのようであった。宿泊客への彼の配慮は、看守にふさわしい厳格な正確さとなって表われた。彼の手のうちにいる私たちは、くりかえしふるまい方を教えねばならない赤子か愚者も同然であった。暴君的な鐘がひとつ鳴ると食事の時間である。二分遅れようものなら、彼は年端もゆかぬ少女に命じて客室の戸を狂ったように叩かせ、口答えを許さない口調で通告させる。「食べなさい」（Manger!）。夕食のまえに入浴を頼んでも、にべもなくむりですと返される。客室係のメイドたちは、客が厚かましさを恥じるよう、スキャンダルのしるしに舌打ちをする。あれはアポロン神のホテルではなく、冷酷な看守に変身した大蛇ピュトンのホテルであった。

図 12———《デルフォイの舞姫たち（アカンサス円柱の高浮彫）》紀元前三三〇年頃
図 13———《デルフォイの御者》 紀元前四七〇年頃
図 14———《ナクソスのスフィンクス》 紀元前五六〇年
デルフォイ　考古学博物館

図 15———シフノス人の宝庫の西正面断片
破風《デルフォイの神託の三脚台をめぐるヘラクレスとアポロンの対決》
フリーズ《トロイア戦争中の神々の集会》
紀元前五二五年　デルフォイ　考古学博物館

　　　　ジョット
図 16———《ヨアキムの夢》一三〇四年〜〇六年
　　　　パドヴァ　スクロヴェーニ礼拝堂

図 17———プラタイアの戦い（紀元前四七九年）の戦場となったボイオティア平原

曇り空のなかを私たちは出発し、再び峠を越えた。霧深い山道で、ジョットのフレスコ壁画に描かれた羊飼い（図16）と同じく、毛皮の上着に頭巾をかぶった羊飼いたちに出会った。隼の雛、戴勝（やつがしら）、鶺鴒（せきれい）を目撃した。鶺鴒は、老いたイギリス紳士の口からテオクリトスの有名な牧歌のリフレインをあふれださせた。ブラロス鉄道駅で別れの挨拶を交わした。友人たちはオリエント急行に乗り、私はアテネに戻った。列車は定刻の五分前に出発し、二時間遅れて目的地に到着した。

ギリシア中部のボイオティア地方は、心地よい印象を与えなかった。鋼色の山地を低い雲が包んでいる。荒れた草原の真ん中にある小さな駅はスフィンクスという名である。その初代駅長は寓話にでてくるあの謎めいた怪物であろう。セピア色の雲が、耕したばかりの赤い大地と、オリーブの木と黒山羊が点在する緑の草原の上に立ちこめていた（図17）。この惨めな人間のスペクタクルに欠けていたのは、スフィンクスの犠牲者たちの白骨だけである。テーバイ「ティーヴァ」では、貧相な身なりの群衆が列車に群がり、赤いチューリップの花束、パッサティエンポ（ギリシアではピーナッツ、南瓜の種の類をこう呼ぶ）、コルリア（ドーナッツ）、牡羊の脂っこいテール肉の串焼きを売っていた。病院からでてきた人びとに思えるほど、彼らの顔はマラリアでやつれていた。領主ドン・ロドリゴの悪夢が現実になっていた。

> まわりの人々を見渡すと、誰も彼も顔が黄ばんで、やつれている。その眼は物に憑かれた、眩んだような眼付をしている。唇はだらりと垂れさがっている。身にまとっている服はぼろぼろに垂れ……」。
>
> （アレッサンドロ・マンゾーニ『いいなずけ』三三章・平川祐弘訳）

夜の帳がおり、列車の進みはしだいに遅くなった。スタンブル特急が通り過ぎていく。私たちの列車は山を登攀した。急斜面は最近降った雪で覆われている。一筋のかすかな光が客車を照らした。「ここからアテネまであとどれくらいですか」。「四五分」(Saranda pende!)。退屈で死にそうな四五分。闇に包まれた下方はマラトンにちがいない。

(一九三一年〔新保淳乃〕)

☆1――ギムナジウムで机を並べる私たちの目に、今は亡きティート・トージ先生はこう映った。

アルゴリス地方

ローマやビザンティンの皇帝たちの時代の「公道（クルスス・プブリクス）」通行手形、オスマン・トルコ統治下の駅逓令、そして現代のギヨルマン旅行代理店のクーポン券（バウチャー）、これらはすべて同じことである。違いといえば、州知事（プロトスパタリオス）や太守（パシャ）に税を納めるべきところ、現代のギリシアを旅する外国人の場合は、憲法広場（シンタグマ）の旅行代理店（ツーリスト・オフィス）に君臨する小領主に、訪れたいと思う土地で宿泊と食事のサービスを受けるための権利の代金を支払わねばならないということくらいであろう。というのも、その小領主、ギヨルマン氏本人は、ぶっきらぼうながら心根の親切な人の類に属するとはいいながら、同氏の秘書には、ハルピュイアの有毒な血が多少流れているのである。ともあれ、もしあなたが、彼らの攻撃的で口を挟む余地のないような饒舌にもめげずに抵抗し、あなたの旅程を彼らに認めさせることができたなら、あなたは数学的な確実さをもって旅に臨むことができるであろう。あなたが通過する地域のいかなる部族からも強奪の被害にあうことはなく、それどころか彼らからもっとも恭しい微笑みともっとも慇懃なお辞儀をもって迎えられるであろう。

というのも、ギヨルマン社の名は、かつての州知事（プロトスパタリオス）や太守（パシャ）の署名に比肩しうるような、完全なる特権にとりまかれているからである。そしてこの「公道（クルスス・プブリクス）」の通行手形という遥かな昔の伝統は、いったいどうして、いつもは規律と無縁のギリシア人たちが、ギヨルマンが命令するときにはまさしくゲルマン的な鉄の規律を示すのかという理由を説明してくれる。たとえばあなたがたがホテルの支配人に「貴方はギヨルマン社の方ですか」と尋ねるとしよう。彼がそうですと答えれば、それは大いに結構、あなたは最良の部屋をあてがわれるであろう。

わたしがもうひとつ付け加えたいのは、時間の厳格さに関しては、ギヨルマンの頸木は旅行者の肩に軽くかけられるだけということである。あなたにクーポン券（バウチャー）の綴りとともに渡されるタイプ打ちの旅程表には、ホテルの支配人がしかるべき袋に包んで用意してくれる軽食を、あなたがたがどの一角でしたためるべきかまで予定されている。それはまさにコリントスの神殿の円柱の下であったり、獅子門の日陰であったりする。しかしもしあなたが、お弁当の袋を予め定められた場所の一〇〇メートル向こうで開くほど大胆であったとしても、誰一人あなたがたを咎める者はいないであろう。それはたとえば、気ままな風が、旅程表でミケーネ［ミュケナイ］のアクロポリス［古代ギリシア都市の中核をなす岩山であり、神殿が設けられる聖域として、また砦などとしても機能した］に指定された「吹きさらし」の条件を与えることを拒んだとしても、風に秩序を守らせるべく注意しようなどと考える者はだれもいないのと同じである。

ギヨルマンがわたしに派遣してくれたのは、コルフ島出身の運転手であった。彼は碧眼のギリシア人で、その身体にはヴェネト人の血が少し流れており、彼の東地中海なまりのイタリア語には、ヴェネツィア方言が多く含まれていた。彼の前では、［クレタ島の］イラクリオン［カンディア］にある［ヴェネツィア時代に建てられた］貴族会館（ロッジャ）の前にいるときと同様に、住み慣れたわが家にいるかのような心地がする。

早朝、降ったばかりの雨によって洗われた空の下、われわれは出発した。路上には塵ひとつなく、風景はあらゆる輪郭がくっきりとしていた。もし運転手のディミトリが教えてくれなかったなら、わたしはアテネの市外にでてすぐに渡った、とある小川に気づくことさえなかったであろう。この小川は、両足を揃えて跳んでも越えられそうなくらい小さいが、とても大きな責務のある名前を負わされている。その小川の名前はキフィソス［ケフィソス］というのである［河神ケフィソスは、アルゴリス地方の領有をポセイドンとヘラが争ったさい、この地がヘラに属するものとして裁定した。そして海神の怒りによって雨が降らないかぎり水が流れなくなったという］。

図1――《アテネ》、シャトーブリアン『パリからエルサレムへの旅程』、一八八一年版挿絵

そして、わずかな距離にコロノスがある。コロノスには禁足地の聖なるオリーブの森があり、一羽の小夜啼鳥（ナイチンゲール）が鳴いている。しかし、それはあくまで詩人の詩句のうえでのことであるが。その近くにはまた、ギリシア王オソン一世が住んだ田舎家風の別荘があり、そこからわずかに離れたところに精神病院がある。盲目のオイディプスと狂気の国王オソン、小夜啼鳥（ナイチンゲール）の囀りと精神病患者たちの嘆きの声が、わたしの心のなかで組みあわさって、神話に新たなかたちをもたらした。

しかしながら、預言者エリヤに捧げられた聖堂のある丘の頂から見下ろしたアテネの景観は、ほかのすべてを忘れさせてしまった。アクロポリスとアレオパゴスの二つの灰青色の丘陵群が、明るい霞の光暈の上に調和に満ちた輪郭を描きだしていた。そしてその霞の背後には、イミトス（ヒメトス）山の長い壁のような山塊が横たわっていた。それはまさしく比類なき壮大な景観であった。シャトーブリアンは、彼の『パリからエルサレムへの旅程』（*Itinéraire de Paris à Jerusalem*, 1811）の有名な一節をこの風景に捧げた。彼にとって大いに幸いなことに、彼は次のようなものを見分けることができたという。

プロピュライア［アテナイのアクロポリスの入口となる柱廊］

の柱頭、パルテノンの円柱にエレクテイオン［パルテノンとともにアクロポリスにある神殿のひとつ］、大砲を備えた城壁の銃眼、キリスト教徒が建てたゴシック様式の廃墟、イスラム教徒たちが建てたあばら屋（図1）。

シャトーブリアンの空想の眼は、遠く離れてもこれらを見分けることができたのである。この作家も同じ丘の上に早朝に立ったのであり、その一世紀前も太陽は同様に東から昇ったことはまちがいない。しかしそうだとすれば、アクロポリスは当時も逆光を受けていたはずで、明るい青色の不明瞭な影としてしか姿を見せなかったはずなのである。子爵閣下、僭越ながら、閣下の絵画における光の扱いは誤っているのではないかと懸念いたします。

ダフニ修道院（図2）は、写真のうえでこそ、二つの糸杉の木立に囲まれてたいへん美しく見えるが、実際はむしろ平凡である。なぜなら、この修道院があるエレウシス（エレフシナ）はいまや近郊の工業地帯になっているのである。セメント工場の白っぽい煙突群が採掘場の上に建ち並んでおり、さらに自動車の喧噪にとりまかれていて、エレウシスの秘儀にあずかる者たちに示されたとオリゲネスが伝える、「沈黙のうちに刈りとられた穀物の穂」を想像することなどたいへんむずかしい。しかしながら、かつての独裁者パンガロスに次のことは感謝しなければならないであろう。彼は、生まれ故郷のエレフシナ、つまりエレウシスを、アスファルトで舗装された道でアテネとつないだのである。そしてまさにその工事にさいして、あの見事な少女像が出土した。いまではその少女像は、その弓なりに曲げた足の敏捷な動きと赤みがかった大理石の温もりによって、同地の小さな美術館に活気をもたらしている（図3）。

エレウシスを過ぎると、われわれは再び野生のギリシアのただなかにいる。もはや建ち並ぶ工場はないが、これはむしろ好都合である。しかし道が舗装されていないものとなり、これが自動車で通行する者にとって、たいへん不都合なのである。エギナ［アイギナ］とサラミナ［サラミス］と名づけられた島々に囲まれた、トルコ石色（ターコイズブルー）の海の広がる内湾沿いにゆっくり旅をするのは、とてもすばらしいことであろう（図4）。その旅路においては記憶から湧きだすさまざまな逸話をひとつずつとりあげ、己の髭を掻きむしりつつ嘆きの声を上げるペルシア王クセルクセスや、松の樹を曲げる男（ピテュオカムプテス）の異名をとる怪力の盗賊シニスが、山の断崖から降り下って哀れな旅人たちを襲う場面を夢見るのである。いずれも歴史や神話の登場人物たちであるが、ご存知のとおり、決して甘美な内容をもつ物語ではない。そして実際、メガラ門のところでは、旅人の屍体のかわりに、道路が破壊した自動車の残骸を眼にするのである。そこで自動車は最期の息をひきとり、朽ちて徐々に母なる大地と一体化し、未来のいつの日か、とある考古学者によって発掘されて地元の博物館に展示されることになるであろう。

そしてこの道路の果て、イストモス［コリントス地峡］の上に聳えるように、アクロコリントス［都市コリントスのアクロポリス］が現われる（図5）。このアクロポリスは丸みを帯びた巨大な岩山であり、そのかたちは、鳳梨（パイナップル）や、ギリシア人たちにとって世界の中心であったデルフォイの臍（オンファロス）と呼ばれた石と似ている。周囲の山々の起伏に富んだ山肌には青みがかった影が射しているが、アクロコリントスの色はより明るく淡く、それはちょうどダイヤモンドが空や海を反射するのと同様である。今眼にしている風景は、ロマン主義の多くの画家たちが描いた理想的な地中海の景色そのものであり、ただすべてが暈かされ距離をもって眺められるロマン主義の風景画においては、くっきりと横切る運河の純粋なコバルト色が、調和を損ねてしまうかもしれない。

薄曇りの空模様であったので、わたしはアクロコリントスに登らなかった。わたしはこの神域の岩山を、神殿に立ち並ぶ黄褐色のドーリス式円柱越しに眺めて満足したのである。その岩山は、オルヴィエートの凝灰岩の岩山に似ていた。アクロコリントスの斜面には草が生えていた。断崖のむきだしになった頂部の上方には、半円を描くように、城壁の縁取りがとりまいていた。雲が岩山に影を落とし、突如訪れた沈黙につつまれた、荘厳なものにさせていた。あるいはまた、背後で銀色に輝く雲は、岩山を黄色や蜂蜜色を思わせる黄褐色に見せていた。アクロコリントスの眺望は名高い。シャトーブリアンは登ることがかなわなかったが、それは当時まだトルコの城塞が現役であったからである。かくしてこの作家はその描写のうちでもっとも輝かしい光景となりえたはずのものを書き記すことができなかったのである。

図2――ダフニ修道院、一〇八〇年頃
図3――《疾走する乙女》前四八〇年頃　エレフシナ考古学博物館
図4――アルゴリス地方の地図　二〇世紀初頭
図5――アクロコリントス（コリントスのアクロポリス）

Sin. Alcyonius
Aegosthena
Olmiae Pr.
Aristonautae
Heraeum Pr.
Megaris
Eleusis
Thria
Acharnae
Megara
Geraneia
Tripodiscus
Nisaea
Sicyon
Lechaeum
Isthmus
Schoenus
CORINTHUS
Posidium
Crommyon
Salamis
Piraeus
ATHENAE
Aexone
Halae
Aexonides
Anagyrus
Zoster Pr.
Cenchreae
Oneus M.
Cleonae
Nemea
Solygia
Spiraeum Pr.
Tenea
Sinus Saronicus
Aegina
Phaura I.
Mycenae
Lyrcea
Saminthus
Inachus
Cecryphalea
Midea
Epidaurus
Arachnaeus M.
Panhellenius M.
Methana
ARGOS
Tiryns
Lessa
Hieron Aesculapii
Nauplia
Lerna
Calauria
Asine
Eiones
Didyma M.
Troezen
Tanus
Thyrea
Scyllaeum Pr.
ARGOLIS

しかし、現代ではみながこの丘に登らなければならない。運転手のディミトリは、去年おこなわれた団体ツアーについて語ってくれた。それはドイツのクルーズ船の乗客たちで、およそ千人を数え、彼らは騾馬や驢馬（ディミトリはそれを表わすのに古風な言葉を使っていた）にまたがったり、徒歩であったりして、長い縦列をなしたという。周囲の地域の騾馬や驢馬は、電報ですべて動員された。そして驢馬たちの嘶きの合唱は、何マイルも離れた場所でも聴きとれたという。わたしはこの話を聞いて、デューラーのような優れた画家の手になる、急峻な岩山の傍らを曲がりくねって登坂する驢馬の行列を描いた一幅の絵を空想するのである。

　われわれが歩みを再開したとき、北の方から黒雲が押し寄せてきた。しかしわれわれが体験したのは嵐ではなく、光の魔術的な効果であった。というのも、ネメアの辺り、われわれの右の方向に、暗色の雲の下で紫と薔薇色に霞むアルゴリス［アルゴリデ］地方の山々のあいだから、雪をいただくヘリコン山の頂が遥かなる姿を現わしたのである。ヘリコン山は、明るい青色の光にとりまかれ、直接には見えない湾からの反射光を浴びていた。谷間は重々しい沈黙に閉ざされ、それを破るのは空を飛ぶ何羽かの鵲（かささぎ）だけであった。お仕着せのような白と黒のこの鳥は、わたしにはまるで曇り空を模倣しているかのように思われた。谷間の沈黙は、魔法をかけられたかのような晴れ渡った空の下にある、かなたのヘリコン山頂の超然としたさまを強調していた。

　ミケーネの町は、灰色の峻険な山々の斜面とほとんど区別できないように姿を表わす。アクロポリスの石材は山の岩石と見紛うばかりで、赤さび色の筋だらけの三つの山頂のあいだにはいかなる調和もなく、近辺に多く生息する戴勝（やつがしら）の扇状の冠羽のようである（図6）。この地で出会った鳥たち、喪服をまといカチカチと鳴く鵲（かささぎ）、喪服を着てしかも血に汚れたような姿でポポポと鳴く戴勝（やつがしら）は、果たしてその必要があるかはともかく、わたしにこの地が古代のおぞましい犯罪の地であることを思い起こさせた。獅子門（図7）の下を歩みつつ、わたしはふりむいた。この門が額縁となって、樹木のない穏やかな灰色の風景が見えている。灰色の岩の合間に、野生の黄色い紫羅欄花（あらせいとう）が咲いている。それにしても一体どれほど多くの花々が宮殿の遺跡のあいだに咲いていることであろう。紫色の房状の蘭（らん）、紫

図6———ミケーネ［ミュケナイ］のアクロポリス

図7———獅子門　前一三〇〇年頃　ミケーネ

色で暗色の縞の入った蘭、それらのあいだに咲く黄色い花々。そしてそれらの花々は、まるで花輪を満載した巨大な棺台の上を歩いているかのように思わせるのである。地下の通廊のなかでは、貯水槽から赤みがかった水が滴っていた。羊たちの首の鈴と一本の葦笛が、あたりに震音のかかったくぐもった音を響かせていた。羊たちは啼き声をあげ、下方からは、眼には見えずとも、ペルセイアの泉の絶え間ないすすり泣きのような水音が聴きとれた。そしてわたしは遙かなる昔に思いをいたすのであった。

その当時、法学部の学生であったわたしは、アイスキュロスの『供養する女たち』(*Choephoroi*)を翻訳しながら宵を過ごしていた。それは窓の下を通る、カステッリ・ロマーニ線［ローマのテルミニ駅から郊外のフラスカーティなどアルバーノ丘陵方面の町々に通じる、かつて存在した路線］の路面電車の騒音が止み、星をちりばめた夜空が悲劇の詩句と同期して脈打つように思われるまで続いた。死者の哀悼に陶酔し、とり憑かれたかのような女たちのあの長々と続く悲嘆の台詞は、いまこの地にいるわたしにとって、泉のすすり泣く水音であり、羊の群れの啼き声であり、絶え間ない鈴の音となったのである。それらは、草や弔花のあいだを飛び回る虫たちのざわめきと入り交じって聞き分けられなくなった。そしてあの饒舌な鵲はおそらくカッサンドラであり、クリュタイムネストラは、黄褐色と黒の冠羽を誇らしく戴き、まるで傷を受けて血に染まったかのような錆色の鋭い嘴をもつ、あの戴勝なのである。

本当かどうかはわからないが、わたしにはこの地の自然がかつての悲劇的な事件のそれと同じリズムによって支配されているように感じられた。もしそうでないなら、なぜ蜜蜂はアガメムノンの墓（図8・図9）のドームをその巣に選んだのであろうか。そもそもなぜ墓が蜂の巣のようなかたちをしているのであろうか。しかし、おそらく地下の墓所の闇のなかに入った者が受ける印象はまた別なのであろう。ドームの上方にたゆたう不断の羽音は、あたかも永遠に続くぼんやりとした苦痛を表わしているかのようであった。それは粗悪な麻薬のように目眩をおこさせた。

墳墓の管理者は、墓の側面から伸びた横穴のなかで、ひとつかみの薪に火を点けた。横穴の平らにならされた地面の上には、いまだ王の亡骸の痕跡を眼にすることができた。それは細かく砕かれた卵の殻のような、骨の断片であっ

図8――アガメムノンの墓（アトレウスの宝庫） 前一二五〇年頃 ミケーネ

図9――アガメムノンの墓の断面図

図10――パラメデスの要塞　一七一四年　ナフプリオン

図11――ナフプリオン（ナウプリア）の景観
シャトーブリアン『パリからエルサレムへの旅程』　一八八一年版挿絵

図12――ティリンス　アクロポリス

図13――ティリンスのアクロポリス地下のトンネル　前一三〇〇年頃

た。わたしは赤紫色の炎に見入った。炎はしだいに闇に飲みこまれていった。そして耳には無数の蜂の立てるブーンという音が再び聞こえてきた。それは邪悪な糸繰り女が回す糸車が立てる音のようであった。「地に注がれし血の滴の、さらなる血を求むるは永遠の掟なり」。ドームの闇のなか、飽くことを知らぬ糸繰り女の不吉な詞が響き渡る。すでにすべての血がまきちらされ、山々の岩塊のうえに錆のように乾いてこびりつき、戴勝（やつがしら）の冠羽と嘴を染めあげ、壁から滴る水となり、荒廃しもぬけの殻となった部屋という部屋に咲く罌粟（けし）の花にいまや変じてしまったにもかかわらず。

この地を去りつつ、アクロポリスを眺めるためにわたしはふりかえった。それは古（いにしえ）の火事によって灰燼と化した場所、灰色で峻険な山々の斜面に置かれた灰の堆積のように思われた。わずかに離れただけで、それはほとんどほかと見分けがつかなかった。

そしてわたしは次に、正面の、海の方を眺めた。そこにはパラメデスの要塞が駱駝の背のような輪郭を見せていた（図10）。その下には、ナフプリオン「ナウプリア」の町が太陽に輝いており、この繊細な白色の町は、まるで山の青い壁に彫りこまれたカメオのように思われた（図11）。ミケーネ周辺を去るまえに、わたしは「麗しのヘレネ」という屋号の田舎の小さな宿屋にしばし足を留めた。宿屋の人たちはわたしに蜂蜜をくれた。蜂蜜はシロップ状で、粗悪な糖蜜と混ぜあわせたものにちがいなかった。その蜂蜜を味見したとき、その品質への疑惑は、わたしにマーロウの戯曲中のフォースタス博士の台詞、「これが、千隻の軍船を走らせた、あの顔（かんばせ）なのか」を思い起こさせたのであった。

ティリンスは、岩屑の山に毛の生えたようなものである（図12）。その様子が尊敬すべき名にあまりにもふさわしくないので、貯蔵庫として用いられたオジーヴ・ヴォールトをいただく巨大なトンネル（図13）を目にしても驚きを感じないほどである。この通廊は、クレタ島にある同様の遺構をあきらかに超える規模なのであるが。遺跡のかたわらには刑務所がある。断言しておくが、茶色い横縞の入った薄汚れたパジャマのような囚人服をまとい、地面を耕すためにかがみこんだあの哀れな受刑者たちの隊列は、この種の記憶の最後のものとなるであろう。

われわれイタリア人は、過去において、ナフプリオン（ナウプリア）をナポリ・ディ・ロマーニア［東ローマ帝国領のナポリ］という名前で呼んでいた（図14）。ギリシア語をイタリア語化したものであることはすぐにわかるであろう。しかしながら、この変身をより納得できるようにしているのが、海岸の正面にある小さなブルズィ島（図15）であり、それはナポリのカステル・デッローヴォ（図16）に似ているように思われるのである。ナポリとの類似はここまでということは、いうまでもないであろう。ナフプリオンの向かい側の浜に聳える堂々たる山々、そしてさらにそれらの上に聳える冠雪したパルテニオン山は、ともすると、スイスのどこかの湖を想起させる。

ナフプリオンにはヴェネツィアとギリシア独立戦争の記憶が詰まっており、商店が密集する舗装された直線の道が通っている。憲法広場（シンタグマ）には、幾世紀もの歴史の記念碑の数々が集約されている（図17）。ヴェネツィア時代の古く薄暗い庁舎（パラッツォ）、［ヴェネツィアの紋章である］サン・マルコの獅子が刻まれた二門の大砲、愛国者イプシランティを顕彰する、新古典主義様式の大理石製記念碑。そしてさらに、広場の両端には、二つの古いモスクがあり、ひとつは現在では古代ミュケナイや古代ギリシアを扱う考古学博物館となっており、もうひとつはトリアノンという示唆的な名をもつ映画館となっている。博物館では、わたしの興味を引いたのはひとつだけであった。それは赤絵式の壷で、『供養する女たち』（*Choephoroi*）の一節を描いており、クリュタイムネストラが胸をはだけ、いまや彼女を殺そうとしているオレステスに対して次の言葉をなげかける、まさにその場面を表している。「止めよ、嗚呼、息子よ！　汝が乳を吸いしこの胸に慈悲を抱かぬか」。

そのほかの記念建造物（モニュメント）に関していえば、近代ギリシアの最初の王宮が近年火事で失われてしまったので、わたしは聖スピリドナス聖堂（アギオス・スピリドン）（図18）を訪れることで満足した。この聖堂において、ギリシア最初の近代政府の大統領、イオアニス・カポディストリアスが暗殺されたのである。聖具室の番人が蠟燭を売る台の背後の壁に、暗殺を記念する素朴な絵が掛けられていた。フロックコートとシルクハット姿のカポディストリアスは、民族衣装の男性用スカートを身につけたギリシア人たちのあいだでよろめくように倒れこんでいる。その姿はまるでバレエの踊り子の一団のなか

図 14———ナフプリオンの景観

図 17———ナフプリオンのシンタグマ（憲法）広場

図15———パラメデスの要塞から見たナフプリオン沖のブルズィ島

図16———カステル・デッローヴォ　一〇世紀から一六世紀　ナポリ

図18―――聖スピリドナス（アギオス・スピリドン）聖堂　一七〇二年　ナフプリオン

図19―――エピダウロスの劇場　前四世紀　エピダヴロス

に倒れた黒い案山子のように思われた。

わたしはエピダヴロス（エピダウロス）で澄み切った朝を迎えた。この地の厳かなすり鉢の劇場（図19）は、橄欖、金雀児、西洋柊の樹々でその上部を覆われていた。その底の舞台には、松、花を咲かせた巴旦杏、そして橄欖の樹が生えていた。劇場の向こうには、静まりかえった山地が姿を見せ、近くの山塊は灰色にその峰を際立たせ、彼方の山々は淡い青色に見えた。わたしには、鄙びた地のわずかな物音しか聞こえなかった。蝿の羽音、七面鳥のゴロゴロという鳴き声、そして時折、田舎風の叙唱のなかから、突如として迸るような高音、たおやかな小鳥の独唱が聞こえてくるのである。「ティ・ツィーオ、ティ・ツィーオ、ティ・ツィーオ、ツィー」。そして厳かな一定の間隔をおいて、このオーケストラに雄鶏が加わり、赤い鶏冠を震わせるのである。この雄鶏を、医神アスクレピオスへの生け贄にしようではないか。

というのも、この医学の神はエピダウロスの近辺で生まれたのであり、ここはその聖域なのである。

> そしてすべての者たちがこの神のもとへ参る。それは年を経た潰瘍によって爛れた肉をもつ者、燦めく鋼や投石器によって手足を負傷した者たち、夏の暑さや冬の寒さによって身体が衰弱した者たちなどである。そして医神はそれぞれの者たちをその苦しみから解放し、鎮静の呪文で手当てをし、和らげる妙薬によって癒やし、あるいは四肢にさまざまな膏薬を塗りつけ、さらには手術によって矯正した。しかしその智恵も報酬の虜とされるがままとなった。両手一杯の黄金という気前のよい報酬は彼をも誘惑し、すでに死神が獲物とした男を、その手からもぎとらせたのである。そしてクロノスの子［ゼウス］は、その両手でもって雷霆をアスクレピオスと再生した男に投げつけ、彼らの息の根を止めたのである。

このようにピンダロスは語っている。そしてこのあまりロマンティックとは言いがたい教訓譚を次のように締めくくっている。

　愛しい魂よ、不死の生を希求することなかれ、されど汝がなしうる、すべての手だてを尽くせ。

　しかしながら、アスクレピオスに捧げられた雄鶏は、崩れかけた段に登り、その東天紅(こけこっこう)によって天に挑戦するのであった。

（一九三一年〔金山弘昌〕）

オリンピア

コリントスからパトラス（パトラ）までは、一日おきに、食堂車まで備えた「特別な」特急列車が通っている。たとえあなたがたが自分の目を信じられないとしても、あなたがたの鼻はそれを信じるであろう。客室にある空気清浄用のオゾン発生器からの染み渡るような臭気が、ほかのすべての臭いに勝っているのである。しかしともかくもオゾン発生器が存在するということは、贅沢な場所にいることの証明でもある。幸いにして列車の速度はあまり速くはなく、おかげでペロポネソスの魅惑的な風景を長く味わうことができる。一方の側からは、起伏に富んだ山々や、灌木や糸杉の林に覆われた粘土質の斜面が見える。そして反対側からは、静まりかえった海面と、それを支配するかのように、頂上に冠雪したヘリコン山やパルナッソス山といった青く霞んだ荘厳な山々が聳えているのが望まれる。この二重の風景は、わたしにアレクサンドロス大王の両眼のことを思い起こさせる。伝えられるところによれば、大王の片目は黒く、もう片方の目は青かったという。

アカイア地方の岸辺がすっかり糸杉の黒色に覆われているわけではない。花を咲かせた樹々の薔薇色と白色や、春の盛りの草原の黄色が、この地の乾燥した暗色の自然の微笑みに生気をもたらしている。ただコリントス湾全体が微妙なグラデーションの効果をもつ空色であるため、この空色に対して、この地方を縁どっている松と糸杉の黒色が際立って見えるのである。この日の空は薄い雲の幕に覆われていた。そのため海の色は勿忘草の薄青色から矢車菊の青紫色へと変わっており、ときおり艶消しの銀の薄板のようにも見え、その海面に山々が青く紫がかった輪郭を逆さまに刻みつけていた。夕方になると、海面は淡い薔薇色に染められ、空に幕を張っていた曇った水晶のような雲は、太陽の周りに薄緑色のあざのような暈（かさ）をかけた。さらにのちの日没後、すべてが灰色になったかのように思われたとき、一瞬にして、パトラス湾の湾口が姿を現わし、その水平線はまるで灼熱した刃のように思われた。

サロニコス（サロニカ）湾の湾口では、一艘の帆船を見かけた。デルヴェニ駅のホーム上の屋根には、五色鶸の鳥籠が三つ吊られており、わたしにクレタ島のイラクリオン（カンディア）のことを思いださせた。エギオンでは、とある宿屋が、「大いなる眠りの宿」（Mega Xenodocheion Ypnou）という魅力的な名前で目を惹いた。ディアコプトでは、灌木に覆われた二つの赤みがかった高い断崖のあいだに、とてもロマンティックな渓谷の森が開けるのが見えた。その渓谷の奥には、断崖上に設けられた絵のような（ピクチャレスク）風情のあるメガスピライオ修道院がある（図1）。しかし、わたしはこの修道院を訪れることを断念した。それは好奇心をそそるものの、わたしにとってローマでも苦もなく体験できることであった。しかもローマではさまざまな様式の修道院を次々に見ることができるが、ギリシアでは、少なくとも今回の旅行においては見ることができなかったのである。この修道院の修道士たちが、神秘的な聖像板絵（イコン）を崇敬し、非常に厳格な断食を守っているありさまがわたしの脳裏に浮かび、心をかき乱した。二人のイギリス人の学生たちがわたしに語ったところによれば、メッシーニ近くのヴルカノ修道院でなにか食べるものを求めたところ、修道士たちは彼らにとても長い食べもののリストを示したという。しかしこの滋養満点のメニューを眺めて満足できたのは一瞬にすぎなかった。それは実は四旬節のあいだに食べてはいけないものの一覧であったのである。そしてとどのつまり、学生たちが手に入れることができたのは、堅くなったパンと吐き気を催すようなペースト状の蜂蜜、そして罌粟の実だけであったという。同様のゆきすぎた禁欲に対して、わたしはもっとも悪魔的で反禁欲主義的なカルドゥッチの意見に同意を禁じえない。

パトラスに着くと、列車は街路の真ん中で停車した。駅は商店に囲まれており、いままで目にしたなかで最も活

図1———《メガスピライオの修道院》
O・M・フォン・シュタッケルベルク『ギリシア　その絵画的地誌的景観』パリ　一八三四年

気のある駅である。オリンピア（オリュンピア）行の列車は翌朝六時発であった。ピルゴスでの乗り換えが予定されており、そこから南に向かって終点まで、一〇〇キロを少し上回る距離に六時間をかける行程である。この時間は記録級である。一等車の車両は崇敬おくあたわざる雰囲気に包まれており、そのすりきれ色褪せた赤いビロード地は、骨董蒐集家にとっては垂涎の的となるはずである。この車両はおそらくはヴィクトリア朝のイギリスか第二帝政期のフランスで用いられていたものであろう。ひょっとするとこれらの車両はクリミア戦争か、セダンの戦いに赴く兵士たちを運んだものであり、かつて美しき栗毛の駿馬ペレニコス［古代オリンピック競技で優勝した馬］が稲妻のように疾駆したこの浜辺において、いまや古い連結器を磨り減らせるにいたったのかもしれない。

六時間をわたしはこの列車内ですごしたのだが、そのあいだ、外は土砂降りだった。もうひとりの乗客はイギリス人の若い女性（ミス）で、次のようなひとことで会話を切り出した。「ごめんなさい。

いまコーヒーを淹れるところですの。ホテルでは時間がなかったものですから」。実際にはこの女性はコーヒーを淹れようとしていたのではなく、パンの堅い皮を囓っていたのであったが。オリンピアに到着するまでの、なんとも興味深い下準備ではないか。実際、この旅路の終着点で、本来のオリンピアのかわりに、このオリンピアという名前をいただく世界中の数多くの劇場やカフェ・コンセールのひとつにいきついたとしても、わたしはそれほど驚かずにすむであろう。

しかしオリンピアの風景はわたしを驚かせた。このような粘土質の低い丘陵やところどころに密集した木立、そしてゆったりと蛇行する幅の広い河川を、わたしはすでにどこかで見たことがあるのではないであろうか（図2）。おそらくシエナとスポレートのあいだのどこかで。頂上まで樹木に覆われたクロニオンの丘（図3）は、わたしにモンテルーコを思い起こさせた。生暖かく気だるい天候は、このなだらかな輪郭をもつ景色のただなかで、わたしにテヴェレ川流域のうんざりするような秋を想起させた。わたしはクロニオンの丘の頂上に登った。その頂は、旅行案内書（ガイドブック）が書かれた二〇年前（それより新しい版はなかった）までは、遺跡群によって支配されていた。しかし現在では松の木があまりに高くまた密に聳えているため、松林の向こう側はなにも見えなくなってしまっている。小雨が降り続いているので、わたしは考古学博物館に入った。

《プラクシテレスのヘルメス》（図4）、かくも柔らかな琥珀色の彫像こそ、この温和な風景に期待されるものである。わたしが想像するに、ギリシアのこの一角は、太陽のおかげで、まるで蜜で一杯の蜂の巣のように甘く、さらにいえばいささか甘ったるくなったのであろう。生硬なデルフォイ（デルフィ）は、あの堅いブロンズの《デルフォイの御者》（図5）を生みだし、柔らかなオリンピアは、パロス産の大理石でできた柔軟な《ヘルメス》をもっているのである。この彫像を前にしてダヌンツィオはとある美しい賛歌を歌いあげた。それもわたしにとって驚くべきことではない。優美でかつのびやかなこの彫像は、ダヌンツィオにとって、彼自身の最良の詩才とよく似ているように思われたにちがいないのである。

図2——オリンピアの景観

図3——クロニオンの丘　オリンピア

図4――《ヘルメスと幼児ディオニュソス（プラクシテレスのヘルメス）》
オリンピア　考古学博物館
伝統的に前四世紀のプラクシテレス作とされるが、
後世の作あるいはコピーとの説も多い。

図5――《デルフォイの御者》前四七〇年頃　デルフォイ　考古学博物館

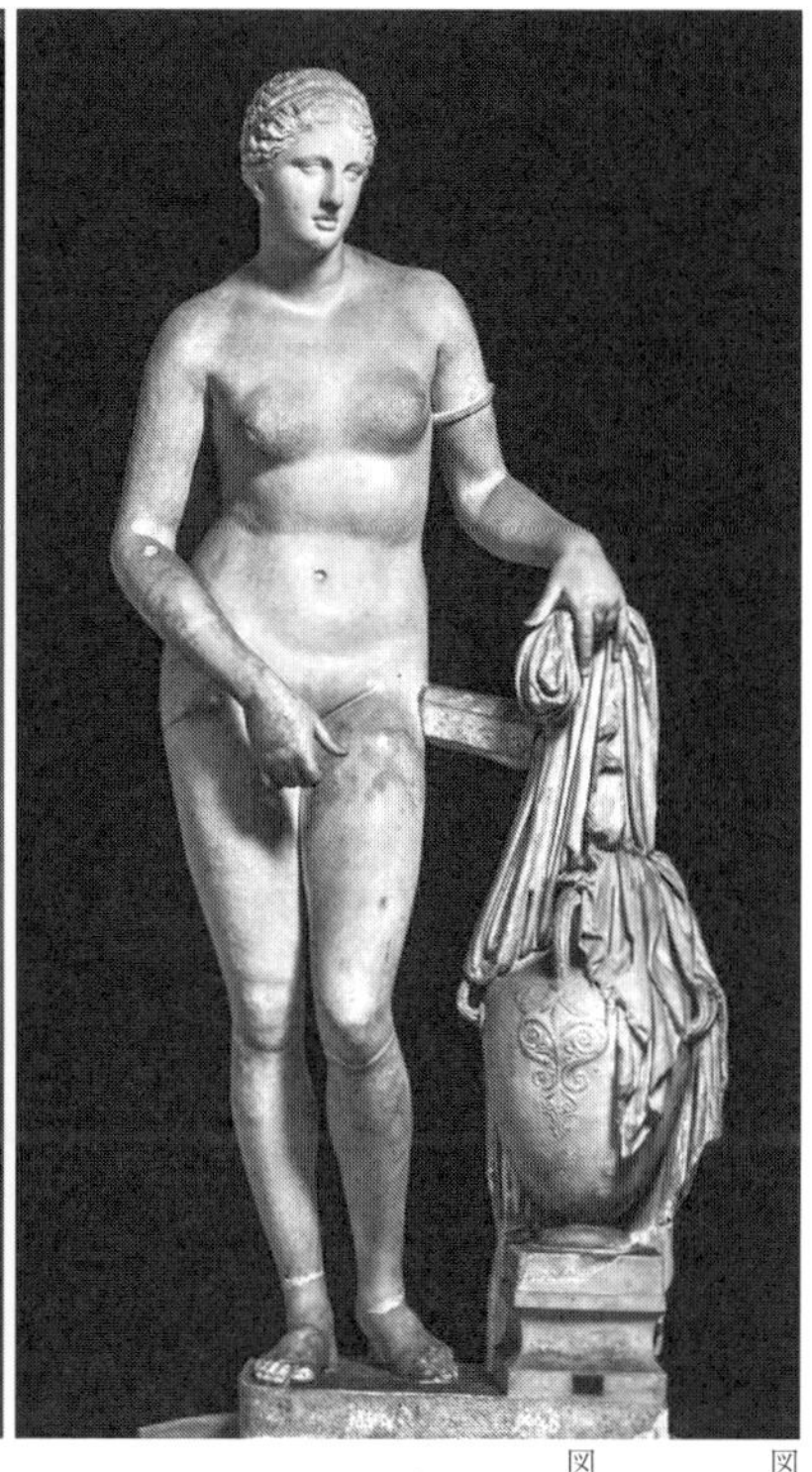

図6――《コロンナのウェヌス》
プラクシテレスによる前四世紀の
《クニドスのアフロディテ》に基づくローマン・コピー
ヴァティカン　ピオ・クレメンティーノ美術館

図7――《ベルヴェデーレのアポロ》二世紀前半
ヴァティカン　ピオ・クレメンティーノ美術館

『アルキュオネ』中のもっとも美しい詩のように、ダヌンツィオの作品は、柔らかさと風格をもち、ほとんど女性的なリズムのうちに男性的な柔軟性をもっている。ギリシアの彫刻家たち、つまり劇的なミュロン、金と象牙を組みあわせたフェイディアス、コンパスで計ったような比例重視のポリュクレイトス、悲壮なスコパス、官能的なプラクシテレス、泰然たるリュシッポスのなかで、ダヌンツィオの共感はまちがいなくまずはプラクシテレスに対して寄せられるはずである。《ヘルメス》からは、美女の存在がもたらすのと同じ魅惑的な雰囲気（アウラ）が発している。誘惑的という形容は言いすぎであろうが、それでもおそらくこの大理石像を定義するのにほかのいかなる言葉よりも適しているであろう。プラクシテレスの《クニドスのアフロディテ》の彫刻家自身の手になるオリジナルの作品、プリニウスがこの世でもっとも美しい彫像と述べたあの作品が、一体どのようなものであったか、想像してみようではないか。

美の女神自らがプラクシテレスのためにポーズをとったと伝えられている。またより慎重に、以下のように正す者たちもいる。すなわち、彫像は「女神の助けを欠くことなしに」制作されたというのである。慎重な物言いの者たちこそおそらく正しかったのであろう。もしこの制作にあたって、プラクシテレスが愛人を、つまりほかならぬフリュネをモデルとしたというのが真実であるとするならば。この聖なる彫像を見るためだけに、クニドスへの旅を企てた者は数多い。ロマンティックな若者たちのなかには、彫像にぞっこん惚れこむ者さえいた。しかしこのアフロディテ像については、ヴァティカン所蔵の無味乾燥な複製――《コロンナのウェヌス》（図6）――の弱々しいイメージしか残されていない。このローマン・コピーは、たとえ修正する目的であっても毛一本たりとも動かされるべきでない部分を、ブリキ製の衣装で覆われてしまっている。

一方、《ヘルメス》については、これがプラクシテレス自身の手になるオリジナルの大理石彫像であり、それは長年の発掘の歴史における稀というよりも唯一の事例であると一般には信じられている。というのも、今日ではよく知られているように、ルネサンス以降、われわれがこれほど賞賛し称えてきたところのギリシア彫刻は、実は複製、しかも凡庸な複製にすぎないのである。というのも、当時は粘土で元の彫像の型をとることがおこなわれていなかったため、複製は大まかな模刻でしかなく、しかもそのような大雑把な類似で満足していたからである。そのうえ注文主たちも細かいことにはこだわらなかった。しばしば複製から複製がつくられ、とりわけ原作を見ることがむずかしいときにはそうであった。また複製にはより品質に劣るような、時には最低品質の大理石が用いられ、さらに高価なブロンズよりも経済的な大理石を用いる伝統もあって、原作の技法上の特徴を変質させてしまった結果として、杭や支えを付加する必要が生じた。

そして、この数多くの複製群のなかに、《ベルヴェデーレのアポロ》(図7)、《ファルネーゼのヘラクレス》、《オトリコリのゼウス》、《クニドスのアフロディテ》といった、われわれにとっての偶像であり模範であった作品群が含まれているのである。われわれはひとつの美術館を受け継いだと信じてきたが、実のところ、複製品の倉庫を所有していたにすぎないことに気づくのである。それでは原作の彫像は一体どこにあるというのであろうか。「されど去年(こぞ)の雪ぞ今何処(いずこ)」というわけである。それらの彫像は重要かつ壮麗な場所に設置されていたために略奪者や偶像破壊者たちの怒りの発露の的とされたのであろう。あるものは火のなかに消え、あるものは金槌によって壊され、あるものは粗野な建造物かなにかのためのセメントの原料とされ、そしておそらくあるものは、大地や海の奥底の寝床にあって、あたかもお伽噺のように、それを目覚めさせる幸運な王子様を待ち続けているのである。

わたしが《ヘルメス》をあらゆる面から眺めているあいだ、ホテルで知りあったオックスフォード大学の学生が展示室に入ってきて、この彫像を一瞥するとそのまま遠ざかってしまった。なぜ立ち止まらないのであろうか。学生は微笑んでいた。それはわたしがこの彫像が複製であることを知らないからだとでもいわんばかりであった。ほらご覧なさい、はたしてプラクシテレスが、樹の幹と神の胴体のあいだに支えを挿入したりするであろうか。肩を仕上げずに残しておいたりするであろうか。そのほかさまざま、もはやわたしが一体どの雑誌か研究書で読んだか覚えていないような、数多くの意見のように。

たしかにこの彫像も複製かもしれない。わたしは納得していないのであるが。しかし、魅惑の呪文は解けてしまい、

図8——《ケンタウロスとラピテース族の闘い》
オリンピアのゼウス神殿の西側ペディメントの彫像群　前五世紀半ば
オリンピア　考古学博物館

図9——《ヘラクレスの一二功業》
オリンピアのゼウス神殿のメトープのレリーフ　前五世紀半ば
オリンピア　考古学博物館

わたしはゼウス神殿の破風（ペディメント）（図8）とメトープ（ドーリス式のフリーズの一部［図9］）が置かれた展示室へと足を進めた。するとわたしの脳裏に、ある滑稽な想い出が浮かんだ。かつて温泉保養地のヴィアレッジョで、人びとがとある美青年のことを指し示してわたしに教えてくれた。彼はフィレンツェの上流階級の貴婦人方と次々に関係をもち、「シュクル・ドルジュ［フランスの伝統的な飴、比喩的に「愛する人」の意味］」というあだ名をたてまつられているという。彼は水着姿で、その身体は日焼けしており、まるでヘルメス像のそれのようであった。

ゼウス神殿の彫像群とメトープについては、いかなる疑いの余地もない。それらはオリジナルなのである。とりわけラピテース族とケンタウロスの闘いを表わした彫像群は、その近代的で総合的な技法によって驚くべきものとなっている。ケンタウロスの頭部のいくつかは、ミケランジェロの手になる仮面（マスケラ）の彫刻（図10）と同じ粗野さを具えており、一部が粗削りのままにされている。英雄たちやその花嫁たちの顔立ちの粗削りで大雑把な仕上げは、［クロアチア出身の彫刻家］イヴァン・メシュトロヴィチを想起させる（図11）。そしてここには興味深い理由がある。近代の芸術家たちは、純粋に偶然の結果としてもたらされた古典的作品の特徴のうえに、自らの技法の基礎を意図的に求めているのである。

古代人たちがわれわれにトルソや四肢の断片のみを残そうなどと意図していなかったことはたしかである。しかしロダンは全身が揃った彫像と同様に、トルソ（図12）を、あるいは二頭筋や腕だけの作品を制作した。それはエズラ・パウンドがパピルスの断片として伝わったという設定の詩をつくって楽しんだのとまさに同様である。オリンピアのゼウス神殿の彫刻の作者は、それが誰であるにせよ（パイオニオスであるとは思われないし、アルカメネスとも考えられない）、彼は広い平面で構想する舞台背景画的な技法を採用している。というのも、彼が制作した彫刻群は地面から何メートルも離れた場所に置かれるべきものであったからである。そのために、この彫刻家は、視線にさらされない部分は粗削りのまま残したのである。そのうえこれらの彫像群は彩色されており、その色彩が鑿によって刻まれていない細部を補っていた。しかしながら、メシュトロヴィチはこの技法を通常の彫像に採用したのである。このような芸

図10——ミケランジェロ
《夜》の傍らの「仮面」　一五二六〜三一年　大理石
フィレンツェ　サン・ロレンツォ聖堂　メディチ礼拝堂

図11——イヴァン・メシュトロヴィチ
《苦しむ女性》　一九二八年　ブロンズ
ザグレブ　アトリエ・メシュトロヴィチ

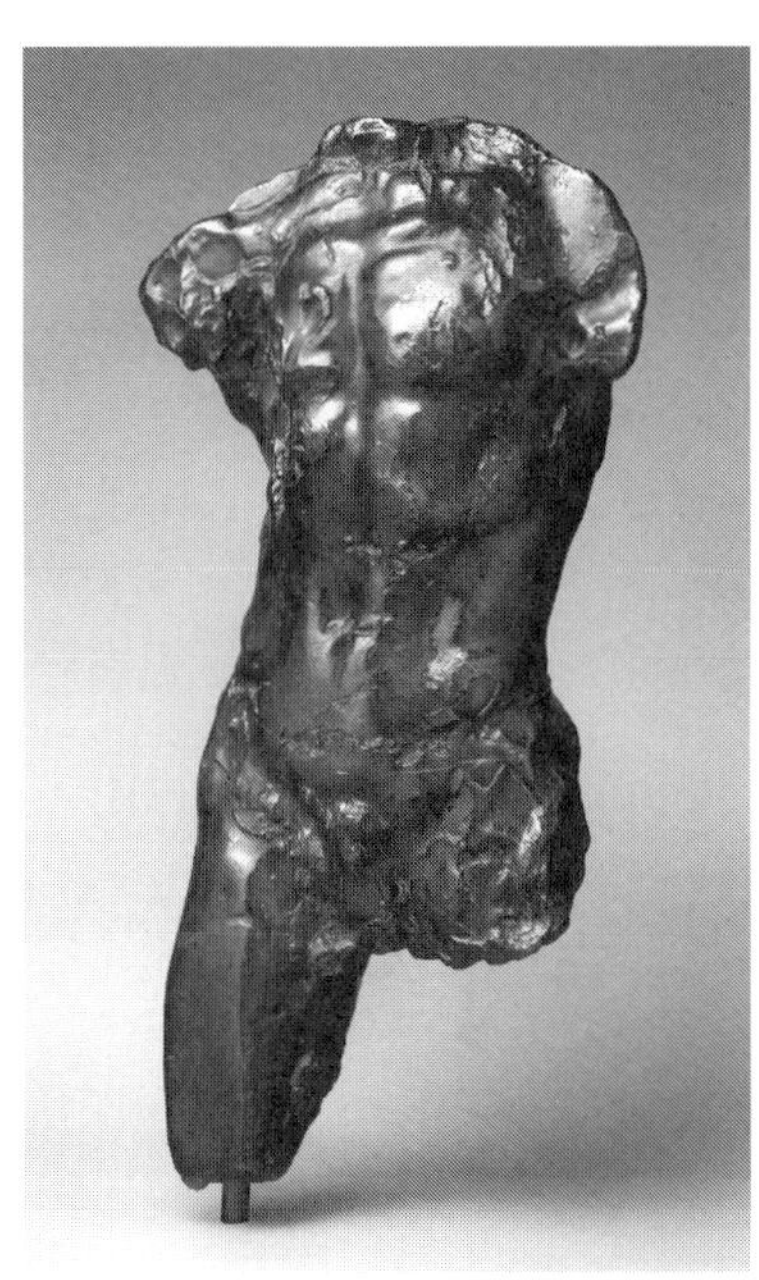

図12――オーギュスト・ロダン
《トルソ》一八七七～七八年　ブロンズ
ニューヨーク　メトロポリタン美術館

図14――カール・ミレス
《エウロペと牡牛》一九二三年～二四年　ブロンズ
ロンドン　テート美術館

図13――アントワーヌ・ブールデル
《弓を引くヘラクレス》一九〇九年　ブロンズ
ニューヨーク　メトロポリタン美術館

術、すなわち古代において必然であったものを現代における表現力として活かすという技は、ヘレニズム時代同様、われわれの時代にも特徴的である。そしてこれらの技は、彫刻にかんしては、ブールデル（図13）やカール・ミレス（図14）のような彫刻家たちの作品において、この賢明な折衷主義の模範例をもたらしている。

東側の破風（ペディメント）は、整然と並んだ人物群を示しており、彼らは古代オリンピック競技の起源となった物語を演じている（図15）。オイノマオスは娘ヒッポダメイアを、オリンピアからコリントスまで戦車を御して、最後まで彼に追いつかれなかった者に嫁がせようと約束した。そして一三名の求婚者たちはオイノマオスに追いつかれ殺められたが、ペロプスだけは、あらかじめ競争相手の御者を抱きこんで戦車の車輪を留める楔をとりのぞかせておき、オイノマオスを転落させ殺害したのであった。オイノマオスが求婚者たちにこのような仕打ちをしたのは、婿によって殺されるという神託を受けていたからだと伝えられている。しかし、別の伝説では、彼が娘に恋慕していたからだともいう。神話というものは、よく知られるように、フロイトの理論に興味深い図解を提供してくれる。神託は、父親兼愛人が、自身の性衝動（リビドー）を正当化するためのつくり話であったのかもしれない。

前世紀において、同様の状況は、大した流血もみずに解決された。そこでのオイノマオスはバレット氏であり、ヒッポダメイアは詩人エリザベス・バレット、そしてペロプスは詩人ロバート・ブラウニングであった。神託もなければ戦車競技もない。買収された御者のかわりは駆け落ちの計画に一役買った小間使いである。バレット氏は駆け落ちの男女をドーヴァー海峡まで追ったりはしなかった。同氏の怒りの唯一の犠牲はエリザベスの愛犬のプードルであったのかもしれず、それも彼女が愛犬を連れていかずに実家に残したとすればの話である。少なくとも現代の喜劇『ウインポール街のバレット家』［ルドルフ・ベジアの戯曲で、のちに映画化もされる］は、このようにして、ピンダロスの頌詩がペロプスの伝説に対峙したのと同様の関係で、この出来事に対峙しようとしているのである。

この地の考古学博物館にはまた、二つの非常に特異な頭部像が所蔵されている。ひとつは、石灰岩に粗く刻まれた、大変古い時代の女神ヘラの頭部（図16）で、アーチ形の大きな眉の下にある三角形の両眼や、わずかにたたえたくっ

図15――《ペロプスとオイノマオスの戦車競争》
オリンポスのゼウス神殿の東側ペディメントの彫像群　前五世紀半ば
オリンピア　考古学博物館

図16――《ヘラの頭部》　前五八〇年頃　オリンピア　考古学博物館

図17——《ルキウス・ウェルスの頭部》 二世紀後半
オリンピア 考古学博物館

図18——ジャック・イニャース・イトルフ
《神殿正面の立面》
『セリヌンテのエンペドクレス神殿の復元 またはギリシアにおける多彩色建築』
パリ 一八五一年

きりとした笑みにおいて、ヒンズー教の女神となにか相通じるものがある。もっとも異国風の印象は、この像の鼻が欠けており、そのためこの女神をアジア人風の鼻の低い顔立ちに見せていることにおそらく起因する。もうひとつの頭部はもっと時代が下ってからのもので、温もりを感じさせるような大理石像である（図17）。男性的とも女性的ともつかぬ顔立ちで、傲慢そうで官能的な輪郭をしており、暴飲暴食と睡眠不足で少し浮腫んでいて、髪の毛の上に月桂冠をいただいている。これは、野蛮で無頓着な皇帝、ルキウス・ウェルスの像だと思われている。もしユイスマンスがこの博物館を訪れていたならば、この退廃的(デカダン)な頭部を、ほかのどの彫刻にも増して気に入ったにちがいないであろう。

そして退廃趣味(デカダンス)については、オリンピアの杜(アルティス)と呼ばれる聖域に建つ神殿に奉納されていた象牙と黄金製のゼウスの巨像のことを、ギュスターヴ・モローがどれほど礼賛していたことであろうか。フェイディアスの手になるこの巨像は、神殿の紫色の緞帳の背後に座していた。その右手は勝利の女神を支え、左手は多くの金属を組みあわせた笏をもち、さらに笏の上には鷲が止まっていた。ゼウスのサンダルと衣装は黄金製で、衣装にはさまざまな動物の姿や百合が紋様としてあしらわれていた。玉座は黄金と宝石、黒檀と象牙で覆われており、さらに絵柄が描かれたり刻まれたりしていた。玉座の四つの脚部には四柱の勝利の女神の踊る姿が表わされ、さらにもう二柱の勝利の女神の像がそれぞれの脚の下部に表わされていた。そして玉座前方の脚の下部にはそれぞれにスフィンクスによって拐かされる童子たちの姿が表わされていて、スフィンクスたちの下にはさらにニオベの子供たちに弓を射るアポロンとアルテミスが表わされていた。

そして玉座の四本の脚のあいだには四本の横木がわたされていて、と続くのであるが、それはパウサニアスの記述で読むことができる。フェイディアスの手になるこれらの象牙と黄金製の彫像群は、まるでヒンドゥー教寺院のように装飾がほどこされていた。そして神殿自体も、周知のごとくすでに一世紀も以前から、つまり建築家イトルフが有名な報告書をパリの美術アカデミーで講じていたときから、活き活きとした多彩色(ポリクローム)で再現されていた（図18）。嗚呼、現代のわれわれが眼にするギリシア世界は、なんとばらばらに解体され色褪せたものであることか。そして、もしその最盛期の姿をわれわれが知っていたならば、今日の姿がわれわれに与える印象は、オランダの教会堂の真白に仕上げられた内観がわれわれに与えるのと同じということになるであろう。

そのうえ、オリンピアの聖域である杜(アルティス)では、消え果ててしまった装飾を、大理石の白い輝きが補ってくれることもない。というのも、倒壊した神殿群の円柱に使われていたのは、安価な貝殻混じりの石材であったからである。しかしこの地の孤高さや、松の木々のあいだをめぐる風が立てる音、松の枝々の合間から覗く銀色の空、宝庫のテラスに咲く蔓穂蘭(つるぼらん)、屋内競技場(ギュムナシオン)に咲く罌粟(けし)、そして周囲をとりまく、森に覆われ黄昏の暖かな光に黄金色に染められたなだらかな丘陵は、いまなお残っている。夕闇が迫ると、木葉木菟(このはずく)の鳴き声や、松の高い枝にとまった鵲(かささぎ)が翼を大きく羽ばたかせる合間にあげる「カチカチ」という鳴き声、頬白(ツィーゴロ)の「ツツツ」とくりかえす鳴き声、さらに最初は弱々しく低い声で始まり、徐々に強くなっていく、選手宿泊所(レオニダイオン)跡の池の蛙たちの合唱が聞こえてくる。そして、銀色に渦まくアルフィオス（アルフェイオス）川の水面と空の最後の一角から、残照は徐々に消え去るのである。

（一九三一年［金山弘昌］）

イオニア海の上空にて

「ああ、羊だわ」と太ったドイツ人のご婦人が嘆きの声をあげた。そして「かわいそうな動物たち」とも。オリンピア（オリュンピア）からパトラス（パトラ）にいたるどの駅でも、繋がれてサフラン色の印のつけられた仔羊たちが列をなしていた。そして羊飼いたちは仔羊を旅客に贈るのである。ある者はただちに仔羊の首を切って殺め、そして臓物や膀胱は溝に投げ捨てられた。ちょうどギリシア正教の暦で聖金曜日にあたる日であり、現代のギリシア人たちは、遙かな昔と同様に、残酷な犠牲によって神をなだめる習慣を続けているようであった。しかし太ったドイツ人のご婦人は、ため息をつき、嘆き続けた。どの駅でも彼女はその力強い胸から「ああ羊だわ」という叫びを迸らせ、その嘆き声はますます打ちひしがれたものとなっていき、われわれみなが彼女の嫌悪の情の程度が頂点に達したことを理解したのであった。

左の車窓からは、帯状の暗い土耳古石色（ターコイズ・ブルー）の海の向こうに、イオニア諸島の山々が空色と紫色に霞んで並んでいるのが見えた。それらは「東地中海（レヴァント）の花」（と通称される）黄金の島ザキントス（ザンテ）島と、多くの水車のあるケファロニア島であった。そしてザキントス島の正面には、ヴィルアルドゥアン家の領地であるトルネーゼ（クレムツィ）城が高みに聳えていた（図1）。しかしながらドイツ人のご婦人の嘆き声が、ほんの少し進むたびに、われわれが屠畜場にいることを思いださせた。それはある時点で、ご婦人が籠から鶏の腿肉をとりだし、ドイツのお国柄ともいう

図1———トルネーゼ（クレムツィ）城　一九二〇年頃　イオニア海からの眺め

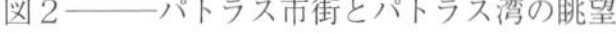

図2———パトラス市街とパトラス湾の眺望

べき見事な食欲をもってそれに齧りつくまで続いた。「ああ、羊だわ」。しかしその嘆き声は効果を半減させてしまった。

パトラス（図2）では、たいへん慇懃なギリシア人の男性に会った。彼は銀行に勤めており、わたしをヴェネツィア時代に築かれた要塞とその傍らの公園に連れていってくれた。その公園には糸杉の木立があり、湾に向けて眺望が開けていて、湾の向こう岸には冠雪したアラキントス山脈が望まれた。次に訪れたのは人びとでごった返した聖堂であった。そこではみなが競って蠟燭を灯していた。その次はカフェ、さらにその次は海岸通りのドライヴであった。海の眺めは、たしかにマルセイユの海岸大通りに匹敵する。海岸通りの突きあたりの二叉に分かれたところで、案内役のギリシア男性は、少なくとも彼の心づもりとしては、人と会う約束をしていた。しかしその相手の「羊飼い」がそこにいなかったので、彼は失意の声を上げ、どうしようかと頭を絞りはじめた。その羊飼いは彼のためにあらかじめ選んであった太った仔羊を連れてくるはずであったのである。「ああ、羊だわ」。誰もこないので、われわれは料理店にいき、そこで本当に美味な良いワイン（カロ・クラシ）、つまり松脂入りのワインで前菜をしたためたのち、一頭の仔羊に触れてたしかめ、売買の交渉を交わし、そして自動車に運びこんだ。「かわいそうな動物たち」。仔羊はパニックにとらわれ、ときどき引きつけを起こしたが、四肢はきつく縛りあげられていた。くっきりとした日輪は光芒を発することなく没し、島々の背後の空をサフラン色に染めた。それはまるで犠牲の羊の毛皮の色のようであった。

パトラスのすべての住人は、この日の宵、宗教行列に加わる。蠟燭持ちたちの列が先導し、ショパンの葬送行進曲をいい加減に演奏する楽隊が続いた。次は葬送儀礼の兵士たち、さらに次は一人の助祭で、彼の後ろにはキリストの聖像板絵（イコン）を水平に捧げもつ四人の司祭と大主教が続いた。髭をたくわえた司祭たちはたいへん見事な色とりどりの祭服をまとっており、大主教はプディングのようなかたちの冠をかぶっていた。そして聖職者たちは「主、憐れめよ（キリエ・エレイソン）」を詠唱していた。さらにその後ろからやってきたのが、市民と軍人の重鎮たちで、それぞれの夫人を伴っていた。最後が群衆で、かれらはどよめき、とりわけ哀悼の苦しみの声をあげていた。読者諸氏は、その群衆のなかで、テオク

図３———プラーツがおそらく搭乗した飛行艇マッキ M.24

図４———イオニア海とイオニア諸島、パトラス　ドラロシェットの古地図　ロンドン　一七九一年

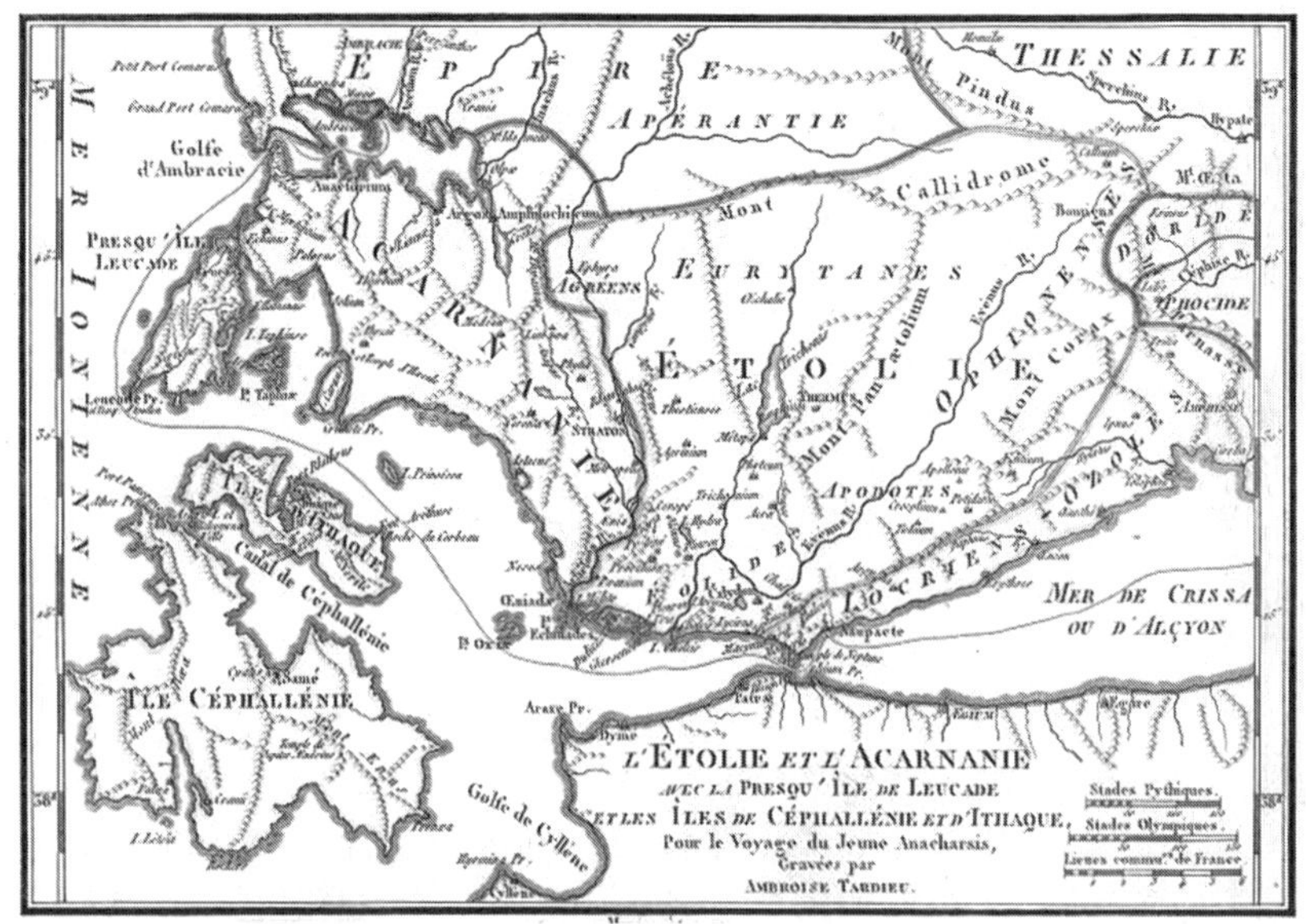

リトスやヘロンダスの擬曲（ミモス）のような対話がくりひろげられているところを想像してごらんになるとよいかもしれない。バルコニーや窓では、ベンガル花火が火花を散らしていた。行列が解散すると、いたるところで爆竹が爆ぜ、そのあいだいく人かの優れた歌い手たちだけが、キリエを歌い続けようとしていた。わたしはスペインの宗教行列や、われわれの国の南部の宗教行列に思いをいたし、それらとあまりちがいがないことに気づいた。

翌朝、好天と強い北風のもと、ブリンディジ行の飛行艇（図3）に搭乗した。わたしはほかの場所で飛行機の旅ほど単調な旅はないと述べた。しかしイオニア海を飛行機で通過しつつ、少なくとも今回の旅にかんしては、その考えを改めた。むしろ上空からでなければ、イオニア諸島やエピロスの海岸をすっかり満喫することはできなかったであろう（図4）。上空を飛ぶ者だけに対して、これらの土地と海はその姿を完全に露わにする。そしてその姿こそ、歴史が幾世紀にもわたって追い求めてきたものなのである。

われわれが最初に通過したのは、メソロンギ（ミソロンギ［図5］）の上空である。英雄叙事詩の最後の残響はこの地で消え果てたのである（図6）。ホメロスの真の戦士たるバイロンは、アルフィエーリ伯の趣味にしたがって、ギリシアの地に堂々と上陸するために、アキレウスの兜の複製品をつくらせた。しかし良い医者を連れていくことは失念してしまったのである。この地の前には小さな島があり、岸辺には舟が並び、大理石の石碑が立っていた。東の方、沼沢地の背後がカリュドンである。その地では、遙かな昔、処女神アルテミスに送りこまれた怪力の野猪がその牙をもって全力で葡萄畑を荒らし、牧童たちや刃向かうその他のすべての生きものを殺めた。この猪と闘うべく、ギリシアの精華たる勇士たちがこの地に集結したが、親戚同士の殺しあいとなり、アタランテの愛と母アルタイアの苦悩によってメレアグロスの胸の内で燃え尽きた薪のように、甘い生活は終わりを迎えたのである。

メレアグロスは、花の盛りの妹デイアネイラをこの世に残すが、彼女は河神アケロオスに求婚された。今日も、この河神にちなむアヘオロス（アケロン）川が山々の合間を蛇行する姿を眼にすることができる。アケロオスは、デイアネイラの父に好印象を与えるべく、自らの身なりに大枚をはたいた。まずは牡牛の姿となり、次にくねった蛇の姿

図5——メソロンギ（ミソロンギ）

図6——ウジェーヌ・ドラクロワ
《ミソロンギの廃墟に立つギリシア》一八二六年
ボルドー　ボルドー美術館

図7――アイトリコ

図8――レフカダ（レウカス）島

となり、さらには牛頭の人の姿となったのである。その顎からは髭のように水流が湧きだしており、あたかも次のように言っているかのようであった。「見よ、我こそはよき婚姻の相手なり。我はよき水源と、蛇行する川筋と、力強い河口を有す」、と。しかしヘラクレスは、デイアネイラをわがものにすることを望み、アケロオスと闘って、その片方の角をへし折ってしまうのである。

悲壮かつグロテスクなお伽噺が、これらの場所にまつわる有名な名前の数々の音の響きをわたしに思い起こさせた。そしてそのあいだ、わたしは河口周辺の青白い水面から突きだした、岩礁や小さな島々の灰色の岩肌を見つめていた。

われわれは潟に囲まれ、二つの長い堤防によって岸と繋がったアイトリコの町（図7）をあとにした。アスタコス湾の海は白みがかった青で、しかしその先の入り江では深い土耳古石（ターコイズ・ブルー）色となり、コルクのように見える白っぽい岩の岸辺に沿ったところは、緑と孔雀石（マラカイト・グリーン）色の暈かしたグラデーションになっていた。イタキ（イタケ）島を過ぎると、銀色に縁どられた灰色の薄い雲のようなものが現われた。それは雲ではなく、舌状に伸びた陸地で、まるで空中に吊られているかのように思われた。陸地の下に見える海面は、透明で明るく見えており、ちょうど白い巻き雲の反射によって空が明るく見えるのと同様であった。レフカダ（レウカス）島は横たえた剣に似た長い岬の先に突きでており（図8）、その浅瀬は、水浸しになった陸地に似た、スレートのような青灰色を示していた。この地域の中心地から向こう側の地峡部は、今日では運河によって分断されており、そこには小さな砦の類［聖マウラ城］が築かれている。

ペロポネソス同盟軍は、夜のあいだに急いで帆をあげた。そして岸沿いに軍船を進めた。そしてレウカス島の地峡を越えて軍船を陸送し、この島を通過したことに気づかれないようにした。このようにして彼らは出立したのである。

私はトゥキュディデスの以上の文章を覚えている。コルフ（コルキュラ）島の殺戮についての記述の冒頭である。ほかの多くのエピソードにも登場する虐殺の数々は、たとえギリシア美術が静謐と調和であったとしても、古代ギリシアの現実の生が、もっとも野蛮な暴力という見世物をいかに提供しえたのかということを示している。

地峡の下では、海面は地面と同じ色をしているので、オールの力で漕ぎ進む舟はまるで大地を耕しているかのように見える。しかし、その遙か向こう側に見える島の西側の海岸は、まるで空と海の上空に浮かぶ雲のように、弓形に湾曲している。そしてその空と海は、ひとつの紺碧に混じりあい、われわれの下方では澄み切ったエメラルド色になるのであった。われわれの前方、北東の方向には、はっきりとしない青白いかたちの深淵が開いていた。それはオパール色の背景の上に灰色の筋が何本か通っており、雲とも海面ともつかなかった。そこからとても素早く薄布（ベール）状のものがとびだし、われわれのそばを通り過ぎた。ずっと手前からわれわれの注意を引いていたそれは、アンブラキア（アルタ）湾であった。いまやわれわれの下方に開けつつある湾は、ある山の平らで白い山頂によって閉ざされている。エピロスの山々の上にかかる雲の障壁から、その山頂をようやく区別できるようになったばかりであった。湾の海面は空のように青白く、外海の海面は土耳古石色（ターコイズ・ブルー）で、湾の東側の沿岸は、青白い光にぐるりととりまかれて、まるで雲のように見えた。ここがアクティオン（アクティウム）の地であり、多くの軍船、それらが帆をあげて逃げ去る姿、史上もっとも美しい女王クレオパトラの赤い唇、そしてローマ帝国初代皇帝となるオクタウィアヌスの堂々たる額を目にした場所なのである。

さらにほかの島々にも巡りあうことになった。小さな、白色で縁取られた島、これはアンティパクソス島である。その後ろに、まるで影のように見えているのがパクソス（パクシ）島。本土側、アケロン川の河口には、砂浜のある小さな湾が開けており、岩に囲まれたそのなかの海面は、まるで内陸の湖水のように明るく澄んでいて、レオナルドの絵画の背景のように思われた。これがパルガの町で（図9）、丘の上にあり、遠くから見ると桟橋と船のように見える、岩だらけの小さな島を前にともなっている。しかしその波止場は空っぽであった。

図9———パルガ

フランチェスコ・アイエツ
図10———《パルガの難民たち》 一八三一年
ブレッシャ 市立美術館

汝にいかなる関係があろうか、ああ卑怯な英国人よ。
たとえパルガの流民の一人が死せるとも。

ジョヴァンニ・ベルシェの愛国的な叙事詩は、その素朴な弔いの詩によって、さらにもうひとつの英雄的な事績を想起させる。ここでもまた、獣のように勇敢な男たちが、雄々しい女たちが、弾丸をパンがわりに齧り、火薬をおかずがわりに喰らったのである（図10）。しかしこの海はあまりに多くの英雄叙事詩に彩られていて、その波はあまりに多くの神話や歴史上の英雄たちを運んでいるために、パルガの無名の亡命者たちの声は、まるでオルゴールの奏でるソナチネのように、かぼそく哀れを誘うものとして聞こえる。エンジンの轟音はその声を圧倒してしまった。いまやこの轟音は、わたしにただひとつのことを思い起こさせた。それは、絶えまない唸り声として、ミケーネの墳墓のドームの中にたゆたい、またさらに邪悪な糸紡ぎ女の糸車の音としてわたしの耳にうるさくつきまとい、鈍い苦痛をもたらすその音によって、ホメロスとウェルギリウスによる六脚（ヘクサメトロス）詩やバイロンの詩を、ベルシェのお粗末な弔いの詩同様に覆い隠すのであった。

わたしはギリシア雷文のように蛇行する冥府（アケロン）の川が、森に覆われた山々の渓谷のなかにその姿を隠すのを目にした。反対側には、パクソス島の沖に、まるで雲に囲まれて、空中で静止したかのように見える汽船の姿をみとめた。多くの帆船がわれわれの下を高速で過ぎていく。鉛色の照り返しのある雲が、コルフ島の上に垂れこめていた。この島の白みがかった色のいくつもの岬は、左側の下方に列をなしていた。鉛色の空の向こう側に、太陽を浴びて青色の岬のひとつが姿を現わした。さらにこの緑色の島の上に光と影が及ぼす効果や、東側の開けた海に面した黄褐色の砂浜の一角が見えた。そしてようやく都市とその要塞群が姿を現わし、古びた灰色の屋根、糸杉の木立、そして停泊地の前には、牡牛の皮を拡げたかたちに似た小さな島が見えてきた。われわれと陸地のあいだには、人を嘲るかのような薄布（ベール）状の雲がかかっていた。そしてその薄布をはねのけると、山々のあいだに佇む静かな湖が見えた。

　われわれは高度を下げた。エンジンが叩くような音を立て、飛行艇は波打つ雲海の下、この島の山々のなかに飛びこんでいった。一瞬のあいだ、辺りはまったく暗くなった。そして濃い土耳古石色（ターコイズ・ブルー）の切れ目を垣間見たのち、このギリシアの地をわたしはあとにしたのである。その逃げ去りゆく後衛である島々と、その大地の最後の一角とともに。しかしわたしの唇に浮かんだのは、別れの挨拶ではなかった。なぜならギリシアはより巨大で、われわれ西欧人は、たとえもっとも住みにくい緯度の地域に棲んでいようとも、ギリシアを魂のうちに有しているからである。

　ヴロラ（ヴァローナ）岬も、サザンの小島とともに見えなくなった。いまや唯一の確かなイメージは、オトラント海峡を下る一隻の船であった。垂れこめた雲の薄布（ベール）が、すぐそばに接近するまで、オトラントの土地を見分けることを妨げた。そしてその土地は、それまでわれわれが上空を飛び、目にしてきた世界とは大きく異なっていた。もはや山々も岬もなく、海に浮かぶ島々も山峡もなく、そのかわりに、まさしくテーブル状の台地が、樹木がなく草がこびりつくように生えた粘土質のひび割れた荒野が見えた。レッチェの町が機体の進む直線上の遠方に姿を現わした。レッチェを過ぎると、最初のオリーヴ園が現われた。いくつかの赤茶けた土地の区画は、染みのある吸取紙のように思われた。向こうに白い姿を見せるのが、ブリンディジ、われらの目的地であった（図11）。

　わたしは今回のブリンディジからバーリの旅で目にしたものほど、美しい色のアドリア海沿岸を見たことがない。牧草地のエメラルド・グリーン、竜舌蘭の青みがかった緑、そしてオリーヴの銀色を帯びた緑色の向こうに、海はマリアの娘会の制服の絹のような空色を見せていた。この地で過ごした二日間のわたしの印象は、たいへん充実したものであった。明るく軽やかな風景、これこそが春のプーリア地方の風景である。光と影はまるで花びらのように繊細である。この地では軽やかに舞う蝶々が明るい黄土色の薄布（ベール）のように思われ、白く輝く家々は無垢の象牙の塔のように見える。しかし宝石というべきはカステル・デル・モンテ（図12）である。これはまさしく宝石のような城であり、宝石同様に対称形の切子面を刻んだ完璧な王冠であるかのように、広大な平野のなかにある傾斜の緩やかな丘の上に

図11———ブリンディジ

図12———カステル・デル・モンテ　一二四〇年～五〇年頃　アンドリア

しっかりと収まっている。

コラートからこの城へ向かいながら、春の朝の輝かしい光の下、道路の端の向こうにこの城を一望することができた。そしてギリシアの静謐な調和を目にしたあとであってもなお、至高の調和を感じとった。その調和によって、皇帝フリードリヒ二世は、自らの周りにゴシックとイスラムの文化を両立させることができたのである。そしてその治世において一四行詩（ソネット）が生まれ、音楽的な厳格さで輪郭が与えられた、石でできた一四行詩（ソネット）のようなこの城が築かれたのである。わたしはアムピオンが再建したテーバイの城壁がどのようなものであったかは知らない。神話によれば、それは彼が奏でる竪琴の音色でもって山々の石材を魅惑し、従わせることによって建設されたという。しかし美しさにおいて、そのテーバイの壁が、ギリシア人ならぬ蛮族の皇帝によって建てられたこの城に優りうるとは思えないのである。結局のところ、「アムピオンがテーバイを城壁で囲うのを助けた」「かの女性たち」、つまり神聖なる学芸の女神たち（ムーサイ）は、おそらく蛮族とギリシア人を一切区別しないのであろう。

（一九三一年［金山弘昌］）

エピローグ　ギリシアを旅するプラーツのまなざしと悲劇の予感

　豊かな古典文学の教養をもち、美術史に通暁し、そしてとりわけ新古典主義の調度や内装を好むプラーツにとって、ギリシアへの旅は、西欧文明共通の調和と静謐のうちにある理想郷への回帰となるはずであったろう。しかしながら実際にプラーツを迎えたのは、オスマン帝国からの独立を達成して一世紀を経たとはいえ、いまだある種の「東洋」としてのギリシアであった。しかもそのギリシアは、急速な近代化と前近代的な社会が相克しつつ併存し、庶民の貧困と富裕層のパリ風の奢侈が隣りあう混沌たる状況下にあった。その現実に対して、プラーツは時に直接の批判を加えることもあるものの、多くはユーモアを交えて婉曲かつ諷刺的な指摘をおこなう。そしてその一定の距離を保った諷刺的なまなざしは、近代化の進んだ列強各国からギリシアの地を訪れた旅人たちに対しても平等に注がれる。プラーツが描写するイギリス人の学生たちやドイツ人の旅行客たちの行状は、ギリシアの地にあって傍若無人に自分たちの「近代的」な尺度をふりまわすような、かえって滑稽なものにも映るのである。

　人びとと社会に対して意識的に距離をおいたプラーツの視座はしかし、ギリシアの自然に対しては一変する。一九三一年に出版された原書には、ごくわずかな白黒図版しか収められていないが、プラーツは筆によってギリシアの風景を、木々の緑やその合間に咲く草花を、さまざまな気象条件や時刻における空と雲の多様な姿を、飽きることなく詳細に描写している。プラーツがロマン主義の風景画を模範にしているのは大いにありうることであるが、空と雲の描写にかんしては、むしろ印象派的な、時々刻々と移りゆく大気への関心があるようにさえ思われる。そしてギリシアの風景へのプラーツの関心は、絵画的（ピクチャレスク）な枠さえ超えて、さまざまな鳥たちの鳴き声の描写にまでいたる。あるいはまた、ギリシアの社会的現実に対しての、そして古代ギリシアの遺跡の荒廃した現状に対しての、いわば二重のショックが、プラーツをしてとりわけ自然に眼を向けさせたのかもしれない。しかしそこにはまた、アルカディアと牧歌劇の伝統という、もうひとつの古典ギリシアの理想へのオマージュもたしかに込められているであろう。

しかしその一方で、プラーツは近代文明の利器、とりわけ鉄道や飛行艇にも見事な適応をする。もちろん近代的交通手段そのものを愛でるわけではなく（プラーツはむしろ旧態依然の古い車両をいささか皮肉交じりに褒め称える）、それによって得られる新しい視覚体験が、旅人プラーツを魅了するのである。列車の車窓からの眺め、そして最後の一章の大半が捧げられた帰途の空路の眺め、それらは本書の描写の白眉に数えることができるであろうし、またプラーツの意外な一面を知るよすがともなるであろう。とりわけ空路において、プラーツはあたかも地図を参照しつつ実際の地理を確認しているかのような、細やかな観察眼を発揮している。

ギリシアの現実社会と、それを黙過しつつ考古学的発掘に熱狂する列強各国への憤懣は別として、プラーツはギリシアの風土と古典の記憶を十分に味わい楽しんでいるように思われる。たしかにプラーツのエッセイの真骨頂は、画家のような眼で社会や自然の現実を詳細に記述しつつも、むしろそこから彼が想起するさまざまな歴史や文学、美術の世界への自在な（時に脈絡を欠くようにさえ思われるほどの自由な）観念連想にある。しかし本書におけるプラーツの観念連想は、彼の後年のエッセイの場合とは異なり、悲劇の暗い予兆に結びついている。プラーツは、彼自身がしばしば言及するアトレウス家の運命に典型的な、ギリシアの神話や悲劇に登場する、理不尽で宿命的な暗い未来への予感にとらわれているようなのである。彼は蜂の羽音のような騒音に、あるいは鳥の鳴き声やその羽根の模様に、不吉な前兆を読みとらずにはいられないのである。眼前の社会の現実に対しての客観的で諷刺的なプラーツの態度は、暗い予感にとらわれたときにはすっかり失われてしまい、憂いの影を帯びることになる。

図1——ギリシアで発行された、イタリア速達航空会社（Società Aero Espresso Italiana）のブリンディジ・アテネ・イスタンブール線の切手。描かれた双胴の飛行艇はサヴォイア・マルケッティS・M・55。なおこの航空会社の提案者はE・ダヌンツィオである。

そして帰路の飛行艇の旅（図1）においてさえも、空からの眺望への満足がやがてこの暗い予感にとってかわられていく。プラーツは当初、一九世紀のギリシア独立戦争中のエピソード、イギリスによってオスマン帝国に売却されたパルガの町の難民たちの苦難を想起する。しかし飛行艇のエンジンの轟音という現実の経験が歴史への想いを圧倒し、ギリシア古典やバイロンの詩とともに押しやってしまうのである。おそらくこのときプラーツは、アトレウス家にかけられた呪いのように、冥府へ誘う運命の暗い予感を抱いたのであろう。機上から見下ろすアケロン川のことを、プラーツは原文では「コキュトス川」と呼んでいる。アケロン川は実際の川であるとともに神話では冥府を流れる川ともされ、コキュトスはその支流とされている。しかしこのとき彼が目にしていたのは、あくまで現実の川であったはずである。おそらくここでプラーツは意図的にか、あるいはフロイト的な意味での錯誤行為（ラプス）によるものか、現実の川を冥府の川と重ねあわせていたのである。

この旅がなされたのが一九三一年であることをふりかえるならば、もはや説明の必要はあまりないであろう。すでに一九二九年には世界恐慌が起こり、同じ一九三一年に日本は満州事変を惹き起こす。当時のギリシアの首相は、今日もアテネの国際空港にその名を残すヴェニゼロスであったが、ウォール街に端を発した恐慌はギリシアの財政をも揺るがし、一九三〇年と三一年には財政危機におちいっていた。プラーツは、まさにその危機的状況のなかで訪れたことになる。ヴェニゼロスは一九三二年に融資を求めてイギリス、フランス、そしてイタリアを訪問したが、目的を果たせず、同年四月にギリシアは債務不履行、つまり国家財政の破綻を迎えることになる。選挙での敗北、支持派の軍人たちによるクーデター計画とその失敗などを経て、結局ヴェニゼロスは亡命し、ギリシアは一九三五年に王政復古を迎える。本書においてプラーツがこのギリシアの政治家に言及したのはわずか一カ所だけであるが、カポディストリアスやイプシランティに言及し、同時代のギリシア社会の矛盾を指摘するプラーツは、その行く末に無関心ではなかったはずである。

そして周知のように、事はギリシアの国内政治にとどまらず、やがてイタリアとギリシア、ひいてはより広範な国際関係においても、大きな悲劇が惹き起こされる。イタリアはすでにムッソリーニの統治の下にあったが、やがてヒトラーがドイツの政権を握り、一九三九年には第二次世界大戦が勃発する。そのなかでイタリアは、一九四〇年一〇月、アルバニア国境からギリシアに侵攻する。ギリシア軍は健闘して一度は押しかえすが、やがて翌年四月に枢軸同盟のドイツが参戦すると、連合国側のイギリス軍の支援にもかかわらず、わずか一カ月のうちにギリシア全土が席巻されてしまう。占領下のギリシアは、ドイツ、イタリア、ブルガリアによって分割統治されるが、とりわけドイツによる資源と食料の収奪は甚だしく、多くの餓死者を生むことになる。

たしかにこれは後出しの解釈である。しかし、すでに当時の社会経済や国際情勢が緊迫しつつあった事実を顧みるならば、プラーツが感じた悲劇の予感を、単なる個人的な感傷として見過ごすことはできないはずである。実際、彼が帰路に利用したブリンディジの民間水上飛行場も、もともとイタリア空軍が設置したものであり、この当時も軍用水上飛行場に隣接していた。

本書の魅力の中心が、碩学プラーツの文学的教養の深さにあることは、いまさらいうまでもないであろう。古典古代からロマン主義、さらには二〇世紀文学（ダヌンツィオはプラーツにとって同時代人である）にいたるまで、ギリシアの事物や経験から次々とくりだされる文学的な観念連想は、多くの読者を魅了するはずである。またもちろんギリシア彫刻や建築に対するプラーツの見識の高さも明らかである。しかしながら、やはり一九三一年という、クリティカルな年の旅行記であるということ、そしておそらくプラーツ自身の意図を超えて、当時の社会を反映している側面があることにもまた、二一世紀の読者たるわれわれは心する必要があるのではなかろうか。

（金山弘昌）

リベラ，フセペ・デ，通称スパニョレット（Ribera, Jusepe de, detto lo Spagnoletto） 70-71
《隠修士聖パウロ》 71
リュクルゴス，コグヴィナス（Lykurgos, Kogvinas） 17
《アクロポリス》 17
リュシッポス（Lysippos） 132

ルッソロ，ルイジ（Russolo, Luigi） 76

レオ・フォン・クレンツェ，フランク・カール（Leo von Klenze, Franz Karl） 15, 87
《アクロポリスとアレオパゴス台地の理想化された景観》 15
レオナルド・ダ・ヴィンチ（Leonardo da Vinci） 78, 151
《ジョコンダ（モナリザ）》 78
レールモントフ，ミハイル（Lermontov, Mikhail） 92

ロダン，オーギュスト（Rodin, Auguste） 135, 137
《トルソ》 137
ロラン，ジャン（Lorrain, Jean） 51
『ナクルとカレスの王子たち』（*Princes de Nacre et de Caresse*） 51

ワ行
ワーズワース，ウィリアム（Wordsworth, William） 79
「ウェストミンスター橋の上にて」（‘Composed upon Westminster Bridge’） 79

フロベール，ギュスターヴ（Flaubert, Gustave） 59
『サランボー』（*Salammbô*） 59

ベジア，ルドルフ（Besier, Rudolph） 138
『ウィンポール街のバレット家』（*The Barretts of Wimpole Street*） 138
ベックリン，アーノルト（Böcklin, Arnold） 89
《生の島》 91
ペリクレス（Pericles） 78, 80
ベルシェ，ジョヴァンニ（Berchet, Giovanni） 153
『パルガの難民たち』（*I profughi di Parga*） 153
ペルニエ，ルイジ（Pernier, Luigi） 62
ヘロンダス（Herondas） 147
ヘンダーソン，アレグザンダー・ラモント（Henderson, Alexander Lamont） 20

ボードレール，シャルル（Beaudelaire, Charles） 30
ホメロス（Homerus） 20, 39, 147, 153
『オデュッセイア』（*Odysseia*） 39
『ホメロス風讃歌』（*Homērikoì húmnoi*） 10
ポリュクレイトス（Polyklitos） 132
ボルジア，チェーザレ（Borgia, Cesare） 80

マ行
マッケンジー，ダンカン（Mackenzie, Duncan） 54
マーロウ，クリストファー（Marlowe, Christopher） 118
マンゾーニ，アレッサンドロ（Manzoni, Alessandro） 103
『いいなずけ』（*Promessi Sposi*） 103

ミケランジェロ・ブオナッローティ（Michelangelo Buonarroti） 135-36
《夜》 136
ミュラー，ルドルフ（Müller, Rudolf） 16
《プニュクスからのアクロポリスの眺望》 16
ミュロン（Myron） 132
ミリオリーニ，ブルーノ（Migliorini, Bruno） 9
ミレス，カール（Milles, Carl） 137-38
《エウロペと牡牛》 137
メシュトロヴィチ，イヴァン（Meštrović, Ivan） 135-36
《苦しむ女性》 136
メレジコフスキー，ドミトリー・セルゲーヴィチ（Merezhhkovsky, Dmtriy Sergeevich） 35

モロー，ギュスターヴ（Moreau, Gustave） 141

ヤ行
ユイスマンス，ジョリス・カルル（Huysmans, Joris-Karl） 141

ラ行
ラウリンジヒ（Laurinsich） 31
ラクルテル，ジャック・ド（Lacretelle, Jacques de） 11, 23
『半神』（*Le Demi-Dieu*） 11
ラモント・ヘンダーソン，アレグサンダー（Lamont Hendereson, Alexander） 20

ドッドウェル，エドワード（Dodwell, Edward） 97
　《カスタリアの泉》 97
ドビュッシー，クロード（Debussy, Claude） 100
ドラクロワ，ウジェーヌ（Delacroix, Eugène） 148
　《ミソロンギの廃墟に立つギリシア》 148
ドラロシェット，ルイ・スタニスラス・ダルシー（Delarochette, Louis Stanislas d'Arcy） 146
トンマーゼオ，ニッコロ（Tommaseo, Niccolò） 30

ナ行
ニーチェ，フリードリヒ（Nietzsche, Friedrich Wilhelm） 94

ハ行
パイオニオス（Paionios） 135
バイロン，ジョージ・ゴードン（Byron, George Gordon） 76, 147, 153, 159
　「ギリシアの島々よ」（'The Isles of Greece'） 76
　「チャイルド・ハロルドの巡礼」（'Childe Harold's Pilgrimage'） 89
パウサニアス（Pausanias） 141
　『ギリシア案内記』（*Hellados Periegesis*） 141
パウンド，エズラ（Pound, Ezra） 135
パーサー，ウィリアム（Purser, William） 14
　《アクロポリスとヘロデス・アッティクスの音楽堂のあるアテネの風景》 14
バッティ，オーヴィン・トレヴァー（Battye, Aubyn Trevor） 54
ハドリアヌス，古代ローマ皇帝（Hadrianus） 85, 88
ハルベアー，フェデリコ（Halbherr, Federico） 62
バレット，エリザベス（Barrett, Elizabeth） 138
パンガロス，テオドロス（Pangalos, Theodoros） 108

ピンダロス（Pindarus） 94-95, 123, 138
　「ピュティア祝勝歌」 95, 123

ファイフ，セオドア（Fyfe, Theodore） 54
フェイディアス（Pheidias） 132, 141
フォルツ，フィリップ（Philipp Foltz） 87
　《ミュンヘン宮廷に別れを告げる初代ギリシア王オソン一世》 87
プッサン，ニコラ（Poussin, Nicolas） 89-90
　《ウェヌスの誕生／ネプトゥヌスの凱旋》 91
ブラウンニング，ロバート（Browning, Robert） 138
プラクシテレス（Praxiteles） 128, 130-33
　《ヘルメスと幼児ディオニュソス（別名プラクシテレスのヘルメス）》 128, 130
　《クニドスのアプロディテ》 131-33
プラトン（Plato） 80
フリス，フランシス（Frith, Francis） 19
フリードリヒ二世，神聖ローマ皇帝（Friedrich II） 156
プリニウス（Plinius） 67, 132
　『博物誌』（*Naturalis historia*） 70
フリュネ（Phryne） 132
ブールデル，アントワーヌ（Bourdelle, Antoine） 137-38
　《弓を引くヘラクレス》 137
フロイト，ジークムント（Freud, Sigmund） 138, 159

カポディストリアス，イオアニス（Kapodistrias, Ioannis） 119, 160
カルドゥッチ，ジョズエ（Carducci, Giosuè） 126
キーツ，ジョン（Keats, John） 35
　『ヒュペリオン』（*Hyperion*） 35
ギフォード，サンフォード・ロビンソン（Gifford, Sanford Robinson） 77
　《パルテノンの廃墟》 77

クセルクセス一世，ペルシア王（Xerses I, Hašayārašā） 108
グラフ，アルトゥーロ（Graf, Arthuro） 76
　「私が生まれた都市はアテネ」（'La città dov'io nacqui'） 76
クレオパトラ七世（Clcopatra VII） 151
グレゴロヴィウス，フェルディナンド（Gregorovius, Ferdinando） 25

サ行
シットウェル，サシェヴェレル（Sitwell, Sacheverell） 25
　『南のバロック芸術』（*Southern Baroque Art*） 25
シャトーブリアン，フランソワ＝ルネ・ド（Chateaubriand, François-Renè de） 78, 107-09, 117
　『パリからエルサレムへの旅程』
　（*Itinéraire de Paris à Jérusalem et de Jérusalem à Paris*） 78, 107, 117
シュタッケルベルク，オットー・マグヌス・フォン（Stackelberg, Otto Magnus von） 127
　『ギリシア　その絵画的・地誌的景観』
　（*La Grèce. Vues pittoresques et topographiques, dessinus par O. M. baron de Stackelberg*） 127
ジョット・ディ・ボンドーネ（Giotto） 102-03
　《ヨアキムの夢》 102
ジル・ド・レ（Gilles de Rais） 80

スコパス（Skopas） 132

ソッフィーチ，アルデーニョ（Soffici, Ardegno） 42
ソポクレス（Sophokles） 10

タ行
ダヌンツィオ，ガブリエーレ（D'Annunzio, Gabriele） 12, 34, 39, 89, 128, 132, 159, 161
　『アルキュオネ』（*Alcyone*） 132
　『生の讃美』（*Laus Vitae*） 12, 34
ダンテ・アリギエーリ（Dante） 51

チェッリーニ，ベンヴェヌート（Cellini, Benvenuto） 79
デ・ヨング，ピート（De Jong, Piet） 56, 60
ディオニシオス，コリトスの（Dionysion of Kollytos） 86
テオクリトス（Theokritos） 103, 145, 147
デューラー，アルブレヒト（Dürer, Albrecht） 112
テレシクラテス，キュレネの（Telesikrates of Kyrene） 95

トゥキュディデス（Thucydides） 78, 151
　『歴史』（*Historiae*） 79, 80, 151
トヴェス，エンリコ（Thovez, Enrico） 12
　『ギリシアのプリマヴェーラ』（*Una Primavera in Grecia*） 12
トージ，ティート（Tosi, Tito） 104

人名・作品名　索引

ア行

アイエツ，フランチェスコ（Hayez, Francesco）　152
《パルガの難民たち》　152
アイスキュロス (Aischylos)　114
『供養する女たち』（*Choephoroi*）　114
アッタロス二世，ペルガモン王（Attalos II）　84, 88
アディソン，ジョセフ（Addison, Joseph）　88
アーノルド，マシュー（Arnold, Matthew）　96
アボウ，エドモン（About, Edmond）　24
アルカメネス（Alcamenes）　135
アルキビアデス（Alcibiades）　80
アルフィエーリ，ヴィットリオ（Alfieri, Vittorio）　147
アルマ＝タデマ，ローレンス（Alma-Tadema, Lawrence）　17
《アクロポリスの見えるテラスにいる人物》　17
アレクサンドロス三世，大王（Alexandros III）　125
アレティーノ，ピエトロ（Aretino, Pietro）　80
アンドロニコス，キュロスの（Andronicus Cyrrhestes）　83, 88

イトルフ，ジャック・イニャース（Hittorff, Jacques Ignace）　140-41
『セリヌンテのエンペドクレス神殿の復元　またはギリシアにおける多彩色建築』
（*Restitution du temple d'Empédocle à Sélinonte, ou l'architecture polychrôme chez les Grecs*）　140
イプシランティ，アレクサンドル（Ypsilanti, Alexander）　119, 160

ヴィルアルドゥアン家（Villehardouin）　143
ヴェニゼロス，エレフテリオス（Venizeros, Eleftherios）　23, 160
ウェルギリウス・マロー，プブリウス（Publius Vergilius Maro）　153
ウェルス，ルキウス（Verus, Lucius）　141
ウォーラー，エドムンド（Waller, Edmund）　88
『護国卿を称える詩』（*Panegyric to my Lord Protector*）　88
『美しきジェノヴェッファ』（*Bella Genoveffa*）　70

エヴァンズ，アーサー（Evans, Arthur）　10, 18, 51-54, 58-59, 61-62
『クノッソスのミノスの宮殿』（*The Palace of Minos*）　61
『エクセルシオル』（*Exelsior*）　13
エルギン卿（Lord Elgin）　23

オクタウィアヌス（Octavianus）　151
オソン一世（Óthon, Otto Friedrich Ludwig von Bayern）　107
オリゲネス（Origenes Adamantius）　108

カ行

カフィン，W・H（Caffyn, W. H.）　57

碩学の旅Ⅲ

ギリシアへの旅
——建築と美術と文学と

二〇二三年一一月一〇日　発行

著　者——マリオ・プラーツ
訳　者——伊藤博明（専修大学文学部教授／イタリア思想史）
金山弘昌（慶應義塾大学文学部教授／イタリア美術史）
新保淳乃（武蔵大学人文学部講師／イタリア美術史）

責任編集——金山弘昌（慶應義塾大学文学部教授／イタリア美術史）

企画構成——石井　朗（表象芸術論）

装　幀——中本　光（エディトリアル・デザイン）

発行者——松村　豊
発行所——株式会社　ありな書房
東京都文京区本郷一—五—一五
電話　〇三（三八一五）四六〇四

印刷／製本——株式会社　厚徳社

ISBN978-4-7566-2387-4 C0070

シリーズ　マリオ・プラーツ〈官能の庭〉Ⅰ〜Ⅳ　監　修　伊藤博明

官能の庭Ⅰ
マニエーラ・イタリアーナ——ルネサンス・二人の先駆者・マニエリスム　定価　二四〇〇円＋税

官能の庭Ⅱ
ピクタ・ポエシス——ペトラルカからエンブレムへ　定価　三〇〇〇円＋税

官能の庭Ⅲ
ベルニーニの天啓——一七世紀の芸術　定価　二八〇〇円＋税

官能の庭Ⅳ
官能の庭——バロックの宇宙　定価　二四〇〇円＋税

シリーズ　マリオ・プラーツ〈碩学の旅〉Ⅰ〜Ⅷ

碩学の旅Ⅰ　責任編集　伊藤博明
パリの二つの相貌——建築と美術と文学と　二四〇〇円＋税

碩学の旅Ⅱ　責任編集　新保淳乃
オリエントへの旅——建築と美術と文学と　二四〇〇円＋税

碩学の旅Ⅲ　責任編集　金山弘昌
ギリシアへの旅——建築と美術と文学と　二四〇〇円＋税

碩学の旅Ⅳ　責任編集　伊藤博明
古都ウィーンの黄昏（仮）——建築と美術と文学と　予価　未定

碩学の旅Ⅴ　責任編集　新保淳乃
五角形の半島（仮）——建築と美術と文学と　予価　未定